wok

# wok

marabout

Publié pour la première fois en Australie en 2003 sous
le titre *Wok It*.

Traduit de l'anglais par Farrago
Mise en pages : les PAOistes

© 2003 Murdoch Books
© 2008 Marabout (Hachette Livre) pour la traduction
et l'adaptation de la présente édition

pages 2-3 © patf / shutterstock
photo ci-contre © Pelham James Mitchinson /
shutterstock
photo pages 6-7 © Paul Turner / shutterstock
photo pages 236-237 © Pelham James Mitchinson

Édition 05
Dépôt légal: mars 2009
ISBN : 978-2-501-05731-8
Codif : 40 4566 2
Imprimé en Espagne par Cayfosa Impresia

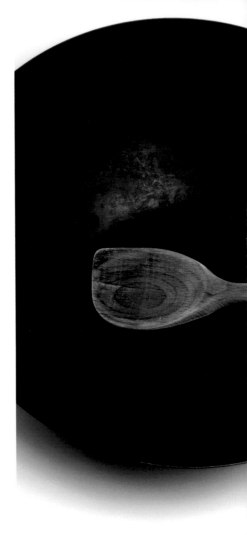

# sommaire

introduction

## les bases du wok

Cette invention chinoise vieille de plusieurs siècles est l'ustensile de base de la cuisine asiatique. L'attrait pour l'exotisme et les cuisines du bout du monde ont aidé à sa diffusion en Occident : aujourd'hui, la cuisine au wok a acquis ses lettres de noblesse, d'autant que certains grands maîtres des fourneaux ont su nous la rendre encore plus alléchante… Avant de devenir vous-même reine ou roi de la cuisine au wok, apprenez-en d'abord les principes et les bases pour mieux en maîtriser l'emploi. Le premier intérêt du wok est de permettre des cuissons juste saisies à feu vif dans un ustensile dont la forme, constante depuis des siècles, permet

une très bonne conduction et répartition de la chaleur. Ce qui change d'un wok à l'autre, c'est surtout le matériau, et il vous faudra apprendre à choisir celui qui correspond le mieux au type de cuisine que vous voulez y faire. Sachez aussi que nombre de recettes occidentales peuvent être préparées dans un wok, comme les moules marinières ou les petits sautés de viande et legumes. Ces derniers gardent tout leur croquant, donc toutes leurs vitamines.

## choisir son wok

Si la forme des woks est toujours la même, il y a quelques variantes dont il faut tenir compte. La taille par exemple. Choisissez un grand wok, entre 30 et 35 cm de diamètre. Vous pourrez ainsi y faire des cuissons vapeur. Et il est plus facile de faire cuire une petite quantité de viande dans un grand wok que le contraire…

## poignées latérales ou manche unique ?

Là encore, tout dépend de l'usage. Les woks munis de deux poignées latérales sont plus stables sur le feu et parfaitement adaptés aux cuissons vapeur ou aux fritures. En revanche, pour saisir les aliments, un wok à manche allongé peut s'avérer plus pratique : on tient le wok d'une main avec le manche en l'inclinant en tous sens tandis que de l'autre on agite vivement les ingrédients avec une spatule pour qu'ils dorent de toutes parts. Les woks chinois sont munis d'un manche en bois, qui évite de se brûler.

Depuis quelques années, on a vu apparaître des woks à fond plat, conçus pour les plaques électriques ou à induction. Le wok à fond arrondi est parfait pour la cuisson au gaz car les flammes peuvent remonter sur les côtés et chauffer une plus grande surface. Pour les cuissons vapeur ou les fritures, où la stabilité de l'ustensile est indispensable, on utilisera un anneau métallique spécial sur lequel on pose le wok.

## le matériau

Les woks en acier sont largement répandus car ils sont légers, chauffent très vite et la cuisson s'arrête dès qu'on les retire du feu. Les plus utilisés en Asie sont les woks en acier carbone. Plus lourds, les woks en fer mettent plus de temps à chauffer mais ils conservent plus longtemps la chaleur, ce qui les rend parfaitement adaptés pour les plats mijotés.

On trouve aussi des woks en acier inoxydable, les plus pratiques pour les recettes utilisant des ingrédients acides (citron, eau de tamarin, vinaigres, autres sauces) car leur surface ne sera pas attaquée à la cuisson. Par contre, ils ne chauffent pas très vite (sauf les woks à fond plat disposant d'un double fond en aluminium). Mais ils se lavent facilement.

Nous évoquerons aussi rapidement les woks à fond antiadhésif, parfaits pour les gens pressés (ils se nettoient sans peine) et pour ceux qui limitent leur consommation de matières grasses. En revanche, difficile d'y faire de la vraie cuisine chinoise : le revêtement s'abîme très vite, la spatule en bois ou en plastique n'étant pas la mieux adaptée à la cuisson au wok. En outre, ils supportent difficilement les très hautes températures.

Tous les woks doivent être nettoyés ou apprêtés avant emploi. Cette étape est

destinée à retirer la fine couche d'huile étalée en usine sur le wok pour le protéger. Une fois cet apprêt achevé, il se « culottera » au fil des cuissons, c'est-à-dire qu'une fine couche protectrice se formera sur l'acier (elle donne aux aliments cette petite saveur fumée qui fait tout le charme de la cuisine au wok). Pour la préserver, n'utilisez jamais de détergent pour nettoyer votre wok.

## apprêter le wok

Enlevez à l'eau chaude, à l'éponge et au produit vaisselle la fine couche de graisse qui tapisse le wok.

Séchez bien le wok, faites-le chauffer à feu moyen et tapissez-le d'huile avec du papier absorbant.

Laissez-le chauffer entre 10 et 15 minutes, toujours à feu moyen. Rincez-le ensuite abondamment à l'eau chaude et séchez-le bien avec du papier absorbant.

Répétez l'opération trois ou quatre fois jusqu'à ce que l'huile ne se colore plus. L'intérieur sera uniformément noir et prêt pour la cuisson.

## l'entretien du wok

Laissez le wok refroidir puis lavez-le à l'eau très chaude avec une brosse douce. Vous n'utiliserez un détergent que très exceptionnellement, par exemple si votre wok a rouillé. Après lavage, séchez-le parfaitement avec du papier absorbant ou en le laissant chauffer 1 minute à feu doux et enduisez l'intérieur d'un peu d'huile. Si quelque chose a attaché dans le wok et que vous deviez utiliser du détergent et un grattoir métallique, il vous faudra de nouveau l'apprêter.

## les accessoires

### la spatule

Elle est généralement en métal et ressemble davantage à une mini-pelle. Elle est préférable aux spatules en bois ou en plastique.

### le panier vapeur

En bambou, bien sûr, pour rester dans la note asiatique. On peut les superposer.

Comme ils sont esthétiques, vous pouvez aussi y présenter les aliments.

## la passoire chinoise
Elle ressemble davantage à une grille qu'à une écumoire. En grillage métallique aéré, elle laisse passer rapidement l'huile. Elle est munie d'un manche et on la trouve dans toutes les tailles.

## le support
C'est un anneau métallique large qui permet de stabiliser les woks à fond rond sur le feu. On l'utilise surtout pour les fritures et la cuisson vapeur.

# plats sautés

## la cuisson sautée au wok

Ce mode de cuisson est la plus classique des cuissons au wok. Il permet des préparations rapides à condition que les aliments soient découpés en petits morceaux. Il se fait le plus souvent à feu vif et présente l'avantage de conserver aux aliments presque toutes leurs vitamines, en particulier pour les légumes. Ces derniers étant juste saisis, ils restent légèrement croquants et gardent toutes les couleurs. Ce mode de cuisson est en outre très sain : il ne nécessite pas beaucoup d'huile et celle-ci n'a pas le temps d'être absorbée par les aliments.

## préparer les ingrédients

Réussir la cuisson sautée au wok est facile. Préparez à l'avance tous les ingrédients. Commencez par lire toute la recette avant de vous lancer, et découpez, émincez, râpez tous les aliments à l'avance : cela vous évitera d'interrompre la cuisson au risque de tout faire rater.

Choisissez une bonne huile végétale. L'huile d'arachide est idéale car elle chauffe sans brûler et n'altère pas le goût des ingrédients. Dans certaines recettes, utilisez de l'huile de sésame (avec parcimonie car elle sert surtout à parfumer le plat en fin de cuisson).

Coupez toujours les légumes en petits morceaux pour permettre une cuisson rapide. Détaillez les légumes allongés en biseaux. Si vous lavez les légumes, essuyez-les soigneusement pour qu'il ne reste aucune trace d'humidité.

Détaillez les viandes en très fines tranches. Pour les couper plus facilement, mettez-les 30 minutes au congélateur. La chair sera plus ferme et plus facile à couper. Utilisez un très bon couteau de cuisine.

## comment procéder

Faites chauffer le wok avant de verser l'huile. Inclinez le wok en tous sens pour que l'huile en nappe le fond et les côtés. Attendez qu'elle soit très chaude, presque fumante, pour y faire revenir les ingrédients. Si vous devez d'abord par faire revenir de l'ail ou du gingembre, ne laissez pas l'huile fumer car ces ingrédients brûlent très rapidement et donnent alors aux aliments un goût amer.

Mettez d'abord dans le wok les aliments qui exigent une cuisson plus longue.

Ajoutez les autres quand les premiers sont encore un peu fermes : ils finiront de cuire avec le reste des ingrédients.

Commencez toujours par faire revenir la viande, par petites quantités et en procédant en plusieurs fois ; si vous mettez trop de viande d'un coup, elle rendra du jus et ne sera pas saisie et dorée. Une fois qu'elle est saisie et presque cuite à cœur, retirez-la du wok et réservez-la au chaud entre deux assiettes pendant que vous faites cuire les légumes. Remettez-la dans le wok en fin de cuisson, généralement en même temps que les sauces, pour la réchauffer rapidement.

Pour la cuisson des viandes marinées, pensez à bien les égoutter sur du papier absorbant. Évitez de verser la marinade trop tôt, tant que la viande n'est pas parfaitement dorée. Mouillez la préparation en plusieurs fois, avec de petites quantités : s'il est toujours possible d'ajouter du liquide, il est très difficile de rattraper une recette quand il y a trop de sauce.

Les nouilles et le riz sont ajoutés généralement en fin de cuisson. Si vous utilisez des nouilles fraîches, faites-les tremper 3 minutes dans de l'eau bouillante, séparez-les à la fourchette et égouttez-les. Mais ils doivent être cuits au tout début.

Les épices et aromates sont généralement ajoutés à la fin. De même, les herbes fraîches sont le plus souvent incorporées hors du feu, juste avant de servir.

Les sauces salées seront versées en fin

de cuisson pour que les aliments n'aient pas le temps de s'imprégner de leur saveur. Pour les épices fortes, utilisez-les avec parcimonie ; vous pourrez rectifier l'assaisonnement à la fin.

Certaines sauces sont versées en début de cuisson : dans ce cas, il faut les faire réduire à feu vif pour éviter que la préparation soit trop humide. Ces sauces doivent être assez épaisses pour napper les autres aliments.

## petite astuce

Gardez le wok à température constante. Quand vous retirez un aliment pour le réserver au chaud, laissez le wok quelques secondes à feu vif pour qu'il retrouve la bonne température. Et n'hésitez pas à augmenter le feu en début de cuisson : le wok a tendance à perdre de sa chaleur quand on y ajoute des aliments crus.

# crevettes caramélisées

Pour **4 personnes**

24 grosses **crevettes** crues
1 c. à s. d'**huile d'arachide**
2 gousses d'**ail** pilées
3 **échalotes** hachées
60 g de **sucre de palme**
  râpé ou de sucre roux
2 c. à s. de **nuoc-mâm**
2 c. à s. de **vinaigre de riz**
  (épiceries asiatiques)
quelques feuilles
  de **coriandre** ciselées
quelques quartiers
  de **citron vert**

**Commencez** par décortiquer les crevettes en gardant les queues. Faites chauffer l'huile dans un wok pour y faire sauter à feu vif les crevettes, l'ail et les échalotes pendant 1 minute, en remuant sans cesse. Réservez au chaud dans un autre récipient.

**Mélangez** dans le wok le sucre, le nuoc-mâm, le vinaigre et 125 ml d'eau chaude. Laissez bouillonner 5 à 10 minutes pour faire réduire cette sauce qui doit prendre la consistance d'un sirop épais. Remettez alors les crevettes dans le wok et réchauffez-les 2 minutes. Servez-les parsemées de coriandre fraîche et accompagnées de quartiers de citron.

**Issu de la sève du palmier à sucre,** le sucre de palme se présente en petits pains que l'on râpe ou que l'on pile. On peut le remplacer par du sucre roux.

# crabe piquant

**Pour 4 personnes**

8 **crabes bleus** surgelés
ou 4 petits tourteaux
vivants
1 c. à s. de **sauce de soja
épaisse**
1 c. à s. de **sauce de soja
claire**
2 c. à s. de **sauce d'huîtres**
1 c. à s. de **sucre roux**
2 c. à s. d'**huile d'arachide**
4 gousses d'**ail** pilées
1 c. à s. de **gingembre** frais
râpé
2 petits **piments rouges**
frais, épépinés et émincés
2 c. à s. de **poivre noir**
grossièrement concassé
2 tiges d'**oignon vert**
émincées en biseau

**Si vous avez acheté des tourteaux vivants**, brossez-les bien sous l'eau froide puis mettez-les 1 heure au congélateur pour les endormir. Sinon, faites décongeler les crabes bleus au moins 2 heures au réfrigérateur. Mélangez dans un bol les sauces de soja, la sauce d'huîtres et le sucre.

**Décortiquez les crabes** en retirant le tablier abdominal, détachez les pattes et les pinces (cassez-les avec une pince à crustacées, mais ne les videz pas). Coupez les carapaces en deux avec un fendoir ou un gros couteau bien aiguisé.

**Faites chauffer un wok** à feu vif avant de le graisser avec 1 cuillerée à soupe d'huile. Quand celle-ci commence à fumer, faites-y revenir en plusieurs tournées les crabes en morceaux et laissez-les cuire 6 minutes en remuant sans cesse : les carapaces doivent prendre une teinte orange vif (ajoutez un peu d'huile si nécessaire). Réservez au chaud dans un autre récipient.

**Baissez le feu au maximum**, versez le reste d'huile et faites-y revenir l'ail, le gingembre, les piments et le poivre jusqu'à ce qu'ils embaument (comptez environ 30 secondes). Ajoutez alors le reste des sauces préalablement mélangées et laissez frémir le tout 1 minute. Remettez enfin le crabe dans le wok pour le réchauffer 6 minutes à couvert. Saupoudrez-le de tiges d'oignon vert juste avant de servir.

# poulet sauté à la mode Sichuan

Pour **4 personnes**

500 g de **blancs de poulet**
coupés en fines tranches
¼ c. à c. de **cinq-épices**
1 c. à s. de **vin de riz**
chinois
1 c. à s. de **sauce de soja
claire**
1 c. à s. de **toban djan**
(sauce chinoise aux fèves
et aux piments rouges)
2 c. à c. de **vinaigre de riz**
noir
2 c. à c. de **sauce de soja
épaisse**
2 c. à s. de **bouillon** de
volaille
3 c. à s. d'**huile d'arachide**
1 petit **oignon rouge** détaillé
en fines lamelles
2 gousses d'**ail** pilées
2 c. à c. de **gingembre** frais
râpé
½ c. à c. de **poivre du
Sichuan** grossièrement pilé
4 **piments rouges** longs
séchés, coupés en deux
et épépinés

**Mettez** les blancs de poulet dans un grand plat et
saupoudrez-les de cinq-épices. Versez dessus le vin
de riz et la sauce de soja claire. Retournez plusieurs
fois la viande dans ce mélange puis couvrez et laissez
mariner 1 heure au frais.

**Mélangez** dans un récipient le toban djan, le vinaigre
de riz, la sauce de soja épaisse et le bouillon. Faites
chauffer un wok à feu vif, versez 1 cuillerée à soupe
d'huile puis faites-y sauter les blancs de poulet pendant
3 minutes, en procédant en plusieurs tournées.
Réservez la viande au chaud entre deux assiettes.

**Faites chauffer** 1 autre cuillerée d'huile dans le wok
puis faites-y revenir l'oignon à feu vif pendant 2 minutes.
Réservez-le au chaud avec le poulet. Faites enfin
chauffer le reste d'huile dans le wok pour y faire dorer
l'ail, le gingembre et le poivre pendant 30 secondes.
Ajoutez les piments et laissez cuire le tout encore
15 secondes ; le mélange doit brunir légèrement.

**Remettez** le poulet et les oignons dans le wok
pour les réchauffer rapidement puis versez la sauce
(étape 2) et laissez cuire encore 3 minutes pour
que le liquide épaississe. Servez aussitôt avec du riz.

**Le cinq-épices est un mélange chinois** qui comporte
du poivre du Sichuan (très parfumé), du clou de girofle,
du fenouil, du gingembre ou de la cannelle et de l'anis
étoilé (en vente dans les épiceries asiatiques).

# bœuf sauté aux pousses de bambou

Pour **4 personnes**

500 g de **filet de bœuf**
   émincé
6 tiges de **coriandre**
   avec la racine
2 gousses d'**ail** pilées
1 c. à s. de **poivre noir**
   concassé
2 c. à s. de **nuoc-mâm**
3 c. à s. d'**huile végétale**
250 g de **pousses**
   **de bambou** en boîte
quelques feuilles
   de **coriandre** ciselées

**Hachez** finement les tiges et les racines de coriandre (rincez-les d'abord soigneusement) puis mixez-les grossièrement avec l'ail, le poivre, la moitié du nuoc-mâm et 1 cuillerée à soupe d'huile. Versez cette pâte sur le bœuf émincé et mélangez bien. Couvrez et laissez mariner 2 heures au frais.

**Faites chauffer un wok** à feu vif, graissez-le uniformément avec 1 cuillerée à soupe d'huile et faites-y revenir pendant 1 minute les pousses de bambou parfaitement égouttées. Versez le reste du nuoc-mâm et laissez cuire encore 1 minute avant de réserver le mélange au chaud entre deux assiettes.

**Versez** le reste d'huile dans le wok chaud. Quand elle commence à fumer, faites revenir le bœuf en plusieurs fois pendant 3 à 4 minutes : il doit rester très tendre. Remettez alors les pousses de bambou dans le wok et mélangez 1 minute sur le feu. Retirez ensuite le wok du feu pour ajouter la coriandre et servez sans attendre.

**Pour cette recette,** essayez de vous procurer des tiges de coriandre fraîches (en vente dans les épiceries asiatiques). À défaut, vous pourrez utiliser de la coriandre moulue, mais le résultat ne sera pas aussi bon.

# tofu frit au piment

Pour **6 personnes**

250 g de **tofu** ferme
   coupé en dés
3 c. à s. d'**huile végétale**
1 c. à s. de **piment séché**
   grossièrement pilé
2 c. à c. de **gingembre** frais
   râpé
2 gousses d'**ail** pilées
8 **oignons verts**
   coupés en tronçons
150 g de **mini-épis de maïs**
   frais coupés en deux
150 g de **pois gourmands**
500 g de **nouilles** fraîches
   aux œufs
40 g de **noix de cajou**
2 c. à s. de **sauce de soja**
125 ml de **bouillon**
   de légumes
1 poignée de **coriandre**
   fraîche ciselée

**Faites chauffer** l'huile dans un wok pour y faire revenir le piment, le gingembre et l'ail pendant 3 minutes. Quand le mélange embaume, ajoutez les dés de tofu, les oignons verts et les épis de maïs. Laissez cuire encore 3 minutes, sans cesser de remuer.

**Mettez dans le wok** les pois gourmands, les nouilles fraîches et les noix de cajou. Comptez 3 à 5 minutes de cuisson à feu vif pour que le mélange soit juste tendre. Versez alors la sauce de soja et le bouillon. Portez à ébullition puis laissez frémir 2 minutes : la sauce doit épaissir légèrement. Retirez le wok du feu pour ajouter la coriandre et servez sans attendre.

# bœuf sauté au saké

Pour **4 personnes**

600 g de **filet de bœuf**
  ou de rumsteck détaillé
  en très fines tranches
2 c. à s. de graines de
  **sésame** dorées à sec
2 gousses d'**ail** hachées
2 c. à c. de **gingembre** frais
  râpé
2 **oignons verts** hachés
1 c. à c. de **sucre roux**
100 ml de **sauce de soja
  japonaise**
1 c. à c. d'**huile de sésame**
3 c. à s. de **mirin**
  (vin de riz sucré)
3 c. à s. de **saké**
  (alcool de riz japonais)
2 c. à s. d'**huile végétale**
4 tiges d'**oignons verts**
  coupés en tronçons
  de 4 cm

**Mettez le bœuf émincé** dans un plat. Réduisez en poudre dans un mortier 1 cuillerée à soupe de graines de sésame puis mélangez-les avec l'ail, le gingembre, les oignons verts, le sucre, 1 cuillerée à soupe de sauce de soja et l'huile de sésame. Versez cette sauce sur le bœuf et remuez. Laissez mariner 2 heures au réfrigérateur.

**Égouttez bien** le bœuf. Incorporez à la marinade le mirin, le saké et le reste de sauce de soja. Réservez.

**Dans un wok préchauffé**, versez 1 cuillerée à soupe d'huile végétale pour y faire revenir la viande 1 minute en procédant en plusieurs tournées. Réservez-la au chaud entre deux assiettes pendant que vous faites cuire le reste.

**Quand toute la viande est cuite** et mise à part, versez la marinade dans le wok et laissez-la frémir 5 minutes à feu moyen pour la faire réduire de moitié. Remettez alors la viande dans le wok et réchauffez-la 1 à 2 minutes à feu vif. Servez après avoir parsemé la viande avec le reste des graines de sésame et les tiges d'oignon vert.

**La sauce de soja japonaise** ou shoyu provient de la fermentation de haricots de soja et de grains de blé. Elle est plus sucrée et plus diluée que la sauce de soja chinoise. À défaut, utilisez de la sauce de soja épaisse ou de la sauce de soja claire à laquelle vous aurez ajouté un peu de sucre roux.

# calamars sautés au poivron vert

Pour **4 personnes**

400 g de **calamars**
    sans les tentacules
3 c. à s. d'**huile végétale**
2 c. à s. de **haricots noirs**
    fermentés
1 **oignon** haché
1 petit **poivron vert**
    coupé en dés
4 tranches fines
    de **gingembre** frais
1 **oignon vert**
    coupé en tronçons
1 petit **piment rouge** frais
    émincé
1 c. à s. de **vin de riz**
    **chinois**
½ c. à s. d'**huile de sésame**

**Ouvrez** les corps des calamars, nettoyez-les puis incisez-les en losanges en prenant soin de ne pas percer la chair. Coupez-les en rectangles de 3 cm sur 5.

**Faites-les blanchir** 30 secondes dans une casserole d'eau bouillante ; ils vont alors se recroqueviller sous l'effet de la chaleur. Égouttez-les, passez-les sous l'eau froide puis égouttez-les de nouveau.

**Versez l'huile dans un wok** préchauffé. Quand elle commence à fumer, faites-y revenir 1 minute à feu vif les haricots noirs, l'oignon haché, le poivron, le gingembre, l'oignon vert et le piment. Ajoutez ensuite les calamars et le vin de riz et laissez sur le feu 1 minute de plus sans cesser de remuer. Versez l'huile de sésame en filet fin et servez sans attendre.

**Les haricots noirs fermentés** et salés sont un des ingrédients de base de la cuisine chinoise. Il s'agit de haricots de soja cuits à l'eau ou à la vapeur puis salés et fermentés. Ils sont vendus en boîte ou en bocal dans les épiceries asiatiques.

# poulet sauté aux trois champignons

Pour **4 personnes**

500 g de **blancs de poulet**
coupés en tranches fines
1 c. à s. de **whisky**
1 c. à s. de **sauce de soja
claire**
15 g de **champignons noirs**
séchés
3 c. à s. d'**huile d'arachide**
2 c. à s. de **gingembre** frais
haché
2 tiges d'**oignon vert**
coupées en tronçons
1 petit **poivron rouge**
émincé
150 g de **champignons
shiitake** émincés
150 g de **pleurotes** émincés
1 gousse d'**ail** pilée
3 c. à s. de **sauce d'huîtres**
1 c. à s. de **sauce de soja
épaisse**
½ c. à c. de **poivre blanc**
moulu

**Faites mariner** les morceaux de poulet 1 heure
au frais dans le whisky et la sauce de soja claire
préalablement mélangés. Faites tremper
les champignons séchés 20 minutes dans un bol
d'eau bouillante puis égouttez-les bien, rincez-les
abondamment et émincez-les très finement.

**Égouttez** les morceaux de poulet. Faites chauffer
un wok et tapissez-en le fond avec 1 cuillerée à soupe
d'huile. Faites ensuite revenir le poulet dans l'huile très
chaude, 3 minutes à feu vif, jusqu'à ce que la viande
se colore. Réservez-la au chaud entre deux assiettes.

**Versez** le reste d'huile dans le wok pour y faire
revenir tous les champignons, le gingembre, les tiges
d'oignon vert et le poivron. Quand les champignons
sont juste tendres, ajoutez l'ail et le poulet réservé ;
laissez cuire encore 1 minute à feu vif avant de verser
la sauce d'huîtres et la sauce de soja épaisse. Poivrez
et maintenez sur le feu 1 minute pour que la viande
soit bien chaude. Servez aussitôt.

# poêlée végétarienne

Pour **4 personnes**

6 **champignons shiitake** séchés
8 feuilles de **laitue**
1 c. à s. de **sauce de soja épaisse**
2 c. à s. de **sauce hoisin**
2 c. à s. de **vin de riz chinois**
½ c. à c. de **sucre roux**
½ c. à c. d'**huile de sésame**
1 c. à c. de **Maïzena** délayée dans 1 c. à s. d'eau froide
1 c. à s. d'**huile d'arachide**
5 **oignons verts** émincés
2 gousses d'**ail** pilées
1 c. à s. de **gingembre** frais râpé
1 tige de **coriandre** (avec les racines) hachée finement (p. 22)
125 g de **tofu frit** coupé en fines lamelles
300 g de **chou blanc** émincé
110 g de **châtaignes d'eau** en boîte, égouttées et émincées
1 poignée de **coriandre** fraîche ciselée
2 tiges d'**oignon vert** coupées en biseau pour décorer

**Faites tremper** les champignons 10 minutes dans 125 ml d'eau bouillante. Lavez les feuilles de laitue et essorez-les. Égouttez les champignons (gardez 2 cuillerées à soupe d'eau de trempage), coupez les pieds puis émincez les chapeaux.

**Mélangez** la sauce de soja, la sauce hoisin, le vin de riz, l'eau de trempage des champignons, le sucre, l'huile de sésame et la Maïzena.

**Versez** l'huile d'arachide dans un wok préchauffé pour y faire revenir les oignons verts, l'ail, le gingembre et la coriandre hachée. Ajoutez le tofu et laissez-le cuire 1 minute à feu vif avant d'incorporer les champignons, le chou et les châtaignes d'eau. Prolongez la cuisson pendant 3 minutes, sans cesser de remuer.

**Versez les sauces mélangées** et laissez épaissir 1 minute. Retirez le wok du feu pour y incorporer la coriandre. Répartissez le mélange dans les feuilles de salade. Décorez de tranches d'oignon vert et servez.

**À base de haricots de soja** et de piments forts, la sauce hoisin est à la fois sucrée et relevée, d'une consistance assez épaisse (en vente dans les épiceries asiatiques).

# bœuf thaï basilic asperges

Pour **3 ou 4 personnes**

500 g de **filet de bœuf**
   ou de rumsteck coupé
   en fines lamelles
3 c. à s. d'**huile végétale**
2 gousses d'**ail** pilées
1 petit **piment rouge**
   épépiné et émincé
175 g d'**asperges vertes**
   coupées en deux
1 poignée de **basilic thaï**
1 c. à s. de **nuoc-mâm**
1 c. à s. de **sauce d'huîtres**
quelques feuilles de **basilic**
   **thaï** en supplément
   pour décorer

**Versez** un tiers de l'huile dans un wok préchauffé pour y faire dorer à feu vif les morceaux de bœuf, en procédant en plusieurs fois. La viande doit être juste saisie pendant 3 minutes environ. Réservez-la au chaud entre deux assiettes.

**Faites chauffer** le reste d'huile dans le même wok et faites-y revenir à feu vif l'ail, le piment et les asperges pendant 1 minute. Remettez la viande dans le wok avant d'ajouter le basilic ciselé, le nuoc-mâm et la sauce d'huîtres. Remuez 1 minute toujours à feu vif. Quand le bœuf est cuit, retirez le wok du feu, décorez de feuilles de basilic et servez aussitôt.

**Le basilic thaï** a une tige mauve et des feuilles vertes. Son goût est très anisé et plus puissant que celui du basilic commun mais celui-ci pourra faire l'affaire si vous avez du mal à vous procurer du basilic thaï.

# Saint-Jacques aux haricots noirs

Pour **4 personnes**

32 noix de **Saint-Jacques** nettoyées
2 c. à s. d'**huile végétale**
1 c. à s. de **haricots noirs** fermentés (p. 28)
1 c. à s. de **sauce de soja**
2 c. à s. de **vin de riz chinois**
1 c. à c. de **sucre roux**
1 gousse d'**ail** hachée
1 **oignon vert** émincé
½ c. à c. de **gingembre** frais râpé
1 c. à c. d'**huile de sésame**
1 tige d'**oignon vert** ciselée pour décorer

**Versez** 1 cuillerée à soupe d'huile végétale dans un wok préchauffé et faites-y dorer à feu vif les noix de Saint-Jacques, 2 minutes de chaque côté. Réservez-les sur une assiette en jetant le liquide qu'elles ont pu rendre à la cuisson.

**Rincez les haricots noirs** à l'eau froide. Mélangez dans un petit récipient la sauce de soja, le vin de riz, le sucre et 1 cuillerée à soupe d'eau.

**Versez le reste d'huile végétale** dans le wok bien chaud. Quand elle commence à fumer, faites-y revenir l'ail, l'oignon vert et le gingembre pendant 30 secondes. Ajoutez ensuite les haricots noirs et le mélange de sauces. Portez à ébullition.

**Baissez le feu** dès les premiers bouillons et remettez alors les noix de Saint-Jacques dans la sauce juste frémissante pour les réchauffer 30 secondes. Versez l'huile de sésame et décorez de tiges d'oignon vert. Servez sans attendre.

# phad thaï

Pour **4 personnes**

10 grosses **crevettes** crues
200 g de **nouilles de riz**
 fraîches
1 c. à s. de **crevettes**
 **séchées**
3 c. à s. d'**huile végétale**
2 **œufs** légèrement battus
2 gousses d'**ail** pilées
1 petit **piment rouge**
 émincé
2 c. à s. de **sucre de palme**
 râpé (p. 16)
3 c. à s. de **jus de citron**
2 c. à s. de **nuoc-mâm**
4 c. à s. de **cacahuètes**
 grillées grossièrement
 broyées
3 **oignons verts** émincés
 en biseau
90 g de **germes de soja**
quelques feuilles
 de **coriandre**

**Décortiquez** les crevettes et coupez-les en quatre. Faites tremper les nouilles 10 minutes dans de l'eau bouillante puis rincez-les. Faites tremper également 10 minutes les crevettes séchées dans de l'eau bouillante avant de les égoutter.

**Faites chauffer** l'huile dans un wok pour y faire cuire les œufs battus 30 secondes en une omelette fine puis découpez grossièrement cette dernière avec une spatule en bois. Ajoutez dans le wok les crevettes crues, l'ail et le piment. Laissez-les cuire 15 secondes à feu vif, en remuant sans cesse.

**Ajoutez le sucre**, le jus de citron, le nuoc-mâm. Prolongez la cuisson pendant 15 secondes, puis incorporez les nouilles, les crevettes séchées et 3 cuillerées à soupe de cacahuètes.

**Quand le mélange est chaud**, dispersez sur le dessus les oignons verts et les germes de soja. Remuez à peine pendant 30 secondes pour qu'ils soient juste chauds. Répartissez le phad thaï dans des bols de service, garnissez de coriandre ciselée et du reste de cacahuètes. Servez sans attendre.

**Vous pouvez préparer** une version végétarienne de ce plat en remplaçant les crevettes par des dés de tofu et le nuoc-mâm par de la sauce de soja.

# agneau sauté au tamarin

Pour **2 personnes**

500 g de **filet d'agneau**
   émincé en tranches fines
150 g de **petits pois** frais
   non écossés
2 c. à s. de **jus de citron
   vert**
1 c. à s. de **concentré
   de tamarin**
1 c. à s. de **nuoc-mâm**
2 c. à s. d'**huile d'arachide**
3 **échalotes** hachées
2 gousses d'**ail** pilées
2 c. à s. de **cacahuètes**
   non salées, finement
   broyées

**Mélangez** dans un petit bol le jus de citron, le tamarin et le nuoc-mâm.

**Versez** 1 cuillerée à soupe d'huile dans un wok préchauffé pour y faire dorer à feu vif les morceaux d'agneau ; comptez environ 3 minutes pour qu'ils soient bien colorés. Retirez-les alors du wok et réservez-les au chaud.

**Versez** le reste d'huile dans le wok et faites-y cuire les petits pois entiers pendant 1 minute puis retirez-les du wok.

**Faites revenir** dans le wok les échalotes et l'ail jusqu'à ce qu'ils embaument puis versez le mélange au tamarin et laissez bouillonner 3 minutes pour faire épaissir la sauce. Quand elle a pris une consistance sirupeuse, remettez dans le wok l'agneau et les petits pois. Réchauffez-les rapidement. Servez sans attendre après avoir parsemé les cacahuètes broyées sur le dessus.

**Le tamarin** est un fruit tropical acide qui ressemble à un gros haricot vert. Il est vendu séché (très souvent compressé en petits blocs) et doit être réhydraté dans de l'eau bouillante. On trouve également du concentré de tamarin prêt à l'emploi dans les épiceries asiatiques. Pour cette recette, choisissez des petits pois primeurs, très jeunes et très tendres, car ils ne seront pas écossés.

# crevettes au piment

Pour **4 personnes**

24 grosses **crevettes** crues
1 c. à s. d'**huile végétale**
2 gousses d'**ail** pilées
1 petit **piment rouge**
   épépiné et émincé
2 c. à s. de **sauce**
   **au piment**
2 c. à c. de **sauce de soja**
   épaisse
de l'**huile de sésame**
   pour assaisonner
2 tiges d'**oignon vert**
   ciselées

**Décortiquez** les crevettes en gardant les queues. Versez l'huile dans un wok bien chaud pour y faire revenir les crevettes et l'ail. Une minute plus tard, ajoutez le piment et les deux sauces. Laissez frémir 2 minutes : les crevettes doivent être cuites à point et enrobées de sauce épaisse.

**Au moment de servir**, nappez-les d'huile de sésame et parsemez-les de tiges d'oignon vert. Dégustez sans attendre.

# porc frit à la sauce aigre-douce

Pour **6 personnes**

900 g de **filet de porc**
  coupé en cubes
2 **œufs** légèrement battus
100 g de **Maïzena** délayée
  dans 3 c. à s. d'eau froide
de l'**huile végétale**
  pour la friture

**Sauce aigre-douce**
1 c. à s. d'**huile végétale**
1 **poivron vert** émincé
75 g de **sucre roux**
3 c. à s. de **vinaigre de riz**
5 c. à c. de **sauce de soja
  claire**
5 c. à c. de **coulis
  de tomate**
¼ c. à c. d'**huile de sésame**
3 c. à c. de **Maïzena**
  délayée dans 1 c. à s.
  d'eau froide

**Pour préparer la sauce aigre-douce**, commencez par faire revenir le poivron 1 minute à feu vif dans l'huile chaude, dans un wok. Ajoutez ensuite le sucre, le vinaigre de riz, la sauce de soja, le coulis de tomate et l'huile de sésame. Portez à ébullition en remuant sans cesse. Versez enfin la Maïzena délayée et laissez épaissir la sauce, sans cesser de remuer pour éviter qu'elle n'attache. Réservez-la au chaud dans un récipient couvert.

**Mélangez** dans un récipient les œufs battus et la Maïzena. Ajoutez les cubes de viande et mélangez bien pour qu'ils soient recouverts de pâte.

**Faites chauffer** au moins 1 litre d'huile dans un grand wok. Quand elle est bien chaude, faites-y frire les morceaux de viande en plusieurs fois, pendant 4 minutes : ils doivent être cuits à cœur et bien dorés. Égouttez-les sur du papier absorbant. Jetez l'huile et essuyez le wok avec du papier absorbant avant de le remettre sur le feu. Réchauffez la sauce pendant 1 minute avant d'en napper les morceaux de porc. Servez sans attendre.

# rouleaux frits aux champignons

## Pour 6 personnes

4 œufs
de l'**huile végétale**
  pour la friture
2 gousses d'**ail** pilées
100 g de **champignons
  shiitake**
150 g de **pleurotes**
125 g de **champignons
  bruns**
100 g de **champignons
  enoki**
2 **échalotes**
  finement hachées
2 c. à s. de **sauce d'huîtres**
2 c. à s. de **sauce de soja**
2 c. à s. de **sucre
  en poudre**
quelques feuilles
  de **coriandre** ciselées

**Battez les œufs** avec 3 cuillerées à soupe d'eau. Passez le mélange dans un tamis fin puis laissez-le reposer quelques minutes à couvert.

**Préchauffez un wok** à feu vif. Graissez-le avec 2 cuillerées à soupe d'huile puis faites-y revenir l'ail et les champignons (émincez les plus gros), à l'exception des enoki. Laissez cuire le tout 1 minute avant d'ajouter les champignons enoki, les échalotes, les deux sauces, le sucre et la coriandre. Prolongez la cuisson 1 minute puis réservez le mélange au chaud entre deux assiettes.

**Nettoyez le wok** avant d'y verser 2 cuillerées à soupe d'huile. Inclinez le wok en tous sens pour qu'il soit graissé sur toute sa surface. Plongez une main dans les œufs battus avant de l'agiter au-dessus du wok très chaud : les œufs doivent cuire en filaments fins. Répétez l'opération pour obtenir une sorte d'omelette très aérée et sèche. Retirez-la du wok et égouttez sur du papier absorbant. Répétez l'opération six fois.

**Faites glisser** la première omelette sur une assiette et garnissez-la du mélange aux champignons. Roulez-la pour enfermer la garniture. Répétez l'opération de manière à obtenir six rouleaux. Servez très chaud.

**Originaires du Japon,** les champignons enoki possèdent une tige claire allongée surmontée d'un petit chapeau. Ils possèdent une saveur sucrée et sont délicieux crus, en salade, ou à peine cuits, mélangés à d'autres légumes.

# nouilles sautées au crabe et au porc

Pour **4 personnes**

175 g de **porc au barbecue chinois** émincé

700 g de **chair de crabe** fraîche ou surgelée

150 g de **nouilles de riz** fraîches

3 c. à s. d'**huile végétale**

2 **échalotes** hachées

1 gousse d'**ail** hachée

2 petits **piments rouges** frais émincés

180 g de **germes de soja**

3 c. à s. de **sauce de soja claire**

2 c. à s. de **sauce d'huîtres**

quelques feuilles de **coriandre** ciselées

**Faites tremper** les nouilles de riz 10 minutes dans de l'eau bouillante puis rincez-les et égouttez-les.

**Faites chauffer** l'huile dans un wok pour y faire revenir les échalotes, l'ail et les piments pendant 3 minutes environ. Quand le mélange commence à se colorer sans brûler, ajouter les germes de soja et le porc émincé.

**Au bout de 2 minutes de cuisson** à feu vif (en remuant), ajoutez les deux sauces, les nouilles et le crabe. Laissez cuire encore 2 minutes, sans cesser de remuer. Décorez de coriandre ciselée et servez sans attendre.

**Le porc ou le canard au barbecue** est une recette chinoise. La viande est mise à mariner dans un mélange d'épices et d'aromates puis rôtie au four pendant 2 heures, dans un récipient couvert. En vente dans les magasins asiatiques.

# agneau sauté à la menthe

Pour **4 personnes**

500 g de **filet d'agneau**
  détaillé en fines lamelles
150 g de **haricots verts**
  coupés en deux
2 c. à s. d'**huile végétale**
2 gousses d'**ail** pilées
1 petit **piment rouge**
  émincé
4 c. à c. de **nuoc-mâm**
4 c. à c. de **jus de citron
  vert**
1 c. à c. de **sauce
  au piment**
2 c. à c. de **sucre de palme**
  râpé (p. 16)
1 petit bouquet de **menthe**
  ciselée

**Faites chauffer un wok** à feu vif, graissez-le avec la moitié de l'huile et faites-y revenir l'agneau 3 minutes environ. Il doit être doré de toutes parts. Réservez-le au chaud entre deux assiettes.

**Faites chauffer** le reste d'huile dans le même wok pour y faire sauter les haricots 1 minute à feu vif. Ajoutez ensuite l'ail et le piment et laissez cuire le tout encore 30 secondes. Remettez la viande dans le wok puis le nuoc-mâm, le jus de citron, la sauce au piment et le sucre. Remuez 2 minutes sur le feu pour que l'agneau soit bien chaud et enrobé de sauce.

**Retirez le wok du feu** et garnissez la viande de menthe ciselée. Servez sans attendre.

# larb de poulet

Pour **4 personnes**

400 g de **blancs de poulet**
émincés
1 c. à s. d'**huile végétale**
4 c. à s. de **bouillon**
de volaille
1 blanc de **citronnelle**
émincé très finement
1 feuille de **kaffir** ciselée
5 c. à c. de **nuoc-mâm**
4 c. à s. de **jus de citron**
**vert**
2 **oignons verts** émincés
3 **échalotes**
1 poignée de **coriandre**
ciselée
1 poignée de **menthe**
ciselée
1 petit **piment rouge**
épépiné et émincé
4 pétales de **fleurs**
**de bananier** (facultatif)
3 c. à s. d'**échalotes frites**
prêtes à l'emploi
quelques quartiers de **citron**
**vert**

**Faites chauffer un wok** à feu moyen, versez l'huile en l'étalant bien puis faites-y revenir les blancs de poulet 4 minutes environ. Quand ils sont dorés, ajoutez le bouillon, la citronnelle, la feuille de kaffir et 3 cuillerées à soupe de nuoc-mâm. Laissez frémir 5 minutes puis retirez le wok du feu.

**Quand le mélange a un peu refroidi,** ajoutez le jus de citron, le reste du nuoc-mâm, l'oignon vert, les échalotes, la coriandre, la menthe et le piment. Remuez. Répartissez cette préparation dans les pétales de bananier. Décorez d'échalotes frites et servez avec des quartiers de citron.

**Les fleurs de bananier** sont seulement décoratives dans cette recette. Vous pouvez les remplacer par des feuilles de salade (laitue ou endive) ou de chou (blanc ou rouge). Les feuilles de kaffir sont très utilisées dans la cuisine thaïe (en vente dans les épiceries asiatiques). Elles sont meilleures quand elles sont fraîches et peuvent se congeler en petites quantités.

**Vous trouverez sans peine des échalotes frites** (épiceries asiatiques), vendues en petits flacons, mais elles seront meilleures si vous les préparez vous-même : émincez quelques échalotes puis faites-les frire dans de l'huile très chaude. Quand elles sont croustillantes, retirez-les de l'huile et faites-les égoutter sur du papier absorbant. Gardez-les dans un récipient hermétique.

# porc aux noix de cajou et au piment

Pour **4 personnes**

600 g de **filet de porc**
  coupé en très fines
  tranches
3 c. à s. d'**huile d'arachide**
4 **oignons verts**
  coupés en tronçons
  de 3 cm
50 g de **noix de cajou**
  grillées
1 c. à s. de **nuoc-mâm**
1 c. à s. de **sauce d'huîtres**
2 c. à s. de **pâte de piment**
  (thaïe de préférence)
1 poignée de **basilic thaï**
  (p. 34)

**Faites chauffer un wok** à feu vif. Graissez-le avec 1 cuillerée à soupe d'huile que vous étalerez sur toute la surface du wok avant d'y faire revenir le porc à feu vif pendant 3 à 4 minutes. Quand la viande est bien dorée, retirez-la du wok et gardez-la au chaud.

**Faites chauffer** le reste d'huile dans le wok pour y faire sauter les oignons verts 1 minute. Remettez alors la viande dans le wok avec son jus de cuisson. Faites-la chauffer 2 minutes puis ajoutez les noix de cajou, le nuoc-mâm, la sauce d'huîtres et la pâte de piment. Remuez sur le feu pendant 2 minutes : la viande doit être cuite à point et nappée de sauce. Ajoutez le basilic hors du feu et servez sans attendre.

# salade au bœuf caramélisé

Pour **4 personnes**

750 de **filet de bœuf**
ou de rumsteck épais
1 c. à s. de **nuoc-mâm**
1 c. à s. de **sauce de soja
claire**
1 c. à s. de **sucre
en poudre**
4 gousses d'**ail** pilées
2 **oignons verts** émincés
(le blanc seulement)
½ c. à c. de **poivre noir**
du moulin
2 c. à s. d'**huile d'arachide**
100 g de **salade** préparée

**Coupez la viande en cubes** de 2 cm et mettez ces derniers dans un plat creux. Mélangez le nuoc-mâm, la sauce de soja, le sucre, l'ail, les oignons, le poivre et la moitié de l'huile dans un récipient, versez le tout sur la viande, couvrez et laissez mariner 1 heure au frais.

**Faites chauffer un wok** à feu vif puis graissez-le avec le reste d'huile. Quand celle-ci est très chaude, disposez la moitié de la viande bien égouttée sur un des côtés et faites-la cuire sans la remuer pendant 1 minute : une croûte brune doit se former en surface. Faites-la alors sauter vivement en secouant le wok pendant 4 minutes environ. Répétez l'opération avec le reste de viande (gardez au chaud celle qui a déjà cuit).

**Répartissez la salade** dans des assiettes creuses et disposez la viande dessus. Servez sans attendre.

# agneau sauté à l'orange

Pour **4 personnes**

400 g de **filet d'agneau**
en tranches très fines

2 c. à s. de **sauce de soja**

125 ml de **jus d'orange** frais

¼ c. à c. de **bicarbonate
de soude**

2 c. à c. de **Maïzena**
délayée dans 1 c. à c. d'eau

2 c. à c. de **poivre
du Sichuan**
très grossièrement moulu

3 c. à s. d'**huile d'arachide**

5 cm de **gingembre** frais
détaillé en bâtonnets

4 **étoiles d'anis**

10 tiges d'**oignon vert**
coupées en tronçon
de 2,5 cm

2 gousses d'**ail** pilées

200 g de **pois gourmands**
coupés en biseau

2 petits **piments rouges**
émincés

2 c. à s. de **sauce d'huîtres**

2 c. à s. de **vin de riz
chinois**

½ c. à c. de **sucre
en poudre**

**Riz au lait de coco**
400 ml de **lait de coco**
200 g de **riz basmati**

**Mettez la viande** dans un plat creux. Mélangez dans un récipient la sauce de soja, le jus d'orange, le bicarbonate, la Maïzena, le poivre et 1 cuillerée à soupe d'huile. Versez cette marinade sur la viande, remuez, couvrez et réservez 30 minutes au frais.

**Pendant ce temps**, préparez le riz. Mettez dans une casserole le lait de coco, 375 ml d'eau salée et le riz. Portez à ébullition puis couvrez et laissez frémir 15 minutes. Retirez la casserole du feu et gardez le riz couvert pendant 5 minutes au moins pour qu'il finisse de cuire.

**Égouttez la viande** ; réservez la marinade. Faites chauffer un wok, versez dedans 1 cuillerée à soupe d'huile et faites saisir la viande 1 à 2 minutes à feu vif. Réservez-la au chaud. Versez le reste d'huile dans le wok pour y faire revenir 30 secondes le gingembre, l'anis, les oignons verts, l'ail, les pois gourmands et le piment. Remettez la viande dans le wok, versez la marinade et le sucre en poudre délayé dans la sauce d'huîtres et le vin de riz. Laissez épaissir la sauce 1 minute. Servez avec le riz au lait de coco.

**Pour couper plus facilement** la viande en tranches ultra-fines, mettez-la 30 minutes au congélateur.

# palourdes à la sauce de soja

Pour **4 personnes**

1,5 kg de **palourdes**
1 c. à s. d'**huile**
2 gousses d'**ail** pilées
1 c. à s. de **gingembre** frais
  râpé
2 c. à s. de **sauce de soja**
  **claire**
125 ml de **bouillon**
  de volaille
1 **oignon vert** émincé

**Rincez les palourdes** à grande eau puis laissez-les tremper 30 minutes en évitant de les remuer pour que le sable ne remonte pas à la surface. Triez-les en jetant celles qui restent ouvertes.

**Faites chauffer un wok** à feu vif, ajoutez l'huile et faites-y revenir l'ail et le gingembre. Versez la sauce de soja puis mettez les palourdes dans le wok. Remuez. Versez ensuite le bouillon et laissez cuire à feu vif en remuant constamment. Au bout de 3 minutes, les palourdes doivent être bien ouvertes ; répartissez-les alors dans des assiettes creuses en prenant soin d'éliminer celles qui sont restées fermées. Décorez d'oignon vert et servez sans attendre.

# curry aubergines tomates épinards

Pour **4 personnes**

2 c. à s. d'**huile végétale**
1 **piment vert long** émincé
  très finement
4 **échalotes** hachées
2 gousses d'**ail** hachées
2 c. à s. de **pâte de curry**
  jaune ou verte
350 g d'**aubergines**
  coupées en tranches
  épaisses
4 **tomates olivettes**
  coupées en quartiers
70 g de **pousses**
  **d'épinards**

**Faites chauffer** l'huile dans un wok. Ajoutez le piment, les échalotes et l'ail. Remuez sur le feu pendant 1 minute puis incorporez la pâte de curry. Laissez-la chauffer jusqu'à ce que le mélange embaume.

**Mettez les aubergines dans le wok** et laissez-les dorer 3 minutes ; elles doivent être presque tendres. Ajoutez alors les tomates et 125 ml d'eau. Couvrez et laissez frémir 10 minutes en remuant de temps à autre pour que le mélange n'attache pas. Quand les aubergines sont cuites, ajoutez les pousses d'épinards ; laissez cuire le tout encore 1 minute. Servez sans attendre.

# nouilles udon citron vert lait de coco

Pour **4 personnes**

500 g de **nouilles udon** fraîches
1 c. à s. d'**huile d'arachide**
½ c. à c. d'**huile de sésame**
1 petit **oignon** émincé
1 petit **piment rouge** émincé
1 gousse d'**ail** pilée
1 c. à c. de **gingembre** frais râpé
1 c. à c. de **jus de citron vert**
1 c. à c. de **nuoc-mâm**
½ c. à c. de **sucre en poudre**
270 ml de **lait de coco**
1 petit bouquet de **coriandre**
2 c. à s. d'**échalotes frites** prêtes à l'emploi (p. 52)

**Faites chauffer** l'huile d'arachide et l'huile de sésame dans un wok pour y faire revenir à feu vif l'oignon, le piment, l'ail et le gingembre. Laissez cuire 3 minutes.

**Mélangez** le jus de citron, le nuoc-mâm, le sucre et le lait de coco. Versez cette préparation dans le wok et laissez-la frémir avant d'ajouter les nouilles. Prolongez la cuisson pendant 5 minutes pour faire épaissir la sauce.

**Plongez les nouilles** 3 minutes dans l'eau bouillante puis égouttez-les. Rincez-les à l'eau froide et égouttez-les de nouveau. Répartissez-les dans des bols, nappez-les de sauce et garnissez-les de coriandre ciselée. Décorez le dessus d'échalotes frites et servez sans attendre.

**Les nouilles udon** (d'origine japonaise) sont épaisses et blanches, vendues le plus souvent fraîches ou surgelées (épiceries asiatiques). Si vous achetez des nouilles sèches, faites-les cuire dans l'eau bouillante en rajoutant de l'eau froide à trois reprises dès que l'eau recommence à bouillir. Rincez-les ensuite à l'eau froide.

# poêlée de champignons asiatiques

Pour **4 personnes**

250 g de **pleurotes**
500 g de **champignons shiitake**
300 g de **champignons enoki** (p. 46)
1 c. à c. de **dashi** en granules
1 c. à s. de **sauce de soja japonaise** (p. 26)
1 c. à s. de **mirin** (vin de riz sucré)
2 c. à s. d'**huile végétale**
1 c. à s. de **gingembre** frais râpé
1 **oignon vert**

**Commencez** par préparer les champignons en les essuyant délicatement avec du papier absorbant pour enlever les résidus de terre. Coupez en deux les pleurotes et les shiitake.

**Diluez le dashi** dans 125 ml d'eau bouillante avant d'y ajouter la sauce de soja et le mirin.

**Faites chauffer un wok**, versez dedans 1 cuillerée à soupe d'huile et faites-y revenir à feu vif les pleurotes, les shiitake et les champignons enoki. Quand ils sont juste tendres (comptez 2 minutes de cuisson), sortez-les du wok et réservez-les au chaud. Hachez le blanc de l'oignon et ciselez séparément la tige.

**Versez** le reste d'huile dans le wok. Quand elle est bien chaude, ajoutez le gingembre et le blanc de l'oignon. Laissez-les dorer 30 secondes avant de remettre les champignons dans le wok. Versez le dashi et prolongez la cuisson 1 minute en remuant. Décorez du vert de l'oignon et servez sans attendre.

**Le dashi** est un bouillon à base de bonite (petit thon) séchée et de kombu (algue japonaise). On le trouve dans les épiceries asiatiques, vendu en granules ou en poudre. Ajoutez 1 litre d'eau pour 15 g de dashi.

# nouilles soba aux champignons

Pour **4 personnes**

250 g de **nouilles soba**
  fraîches
6 **champignons shiitake**
  séchés
1 c. à s. d'**huile de sésame**
6 **oignons de printemps**
  coupés en tronçons
  de 5 cm
5 cm de **gingembre** frais
  coupé en bâtonnets
2 gousses d'**ail**
  finement hachées
1 c. à s. de graines
  de **sésame** grillées
quelques feuilles de **menthe**

**Sauce de soja**
1 c. à s. d'**huile de sésame**
2 c. à s. de **sauce de soja**
  claire
2 c. à s. de **mirin**
  (vin de riz sucré)

**Commencez** par préparer la sauce en mélangeant tous les ingrédients dans une coupelle.

**Faites tremper les champignons** pendant 10 minutes dans 185 ml d'eau bouillante. Égouttez-les en réservant 80 ml d'eau de trempage. Jetez les pieds et émincez les chapeaux.

**Faites cuire les nouilles** 3 minutes dans un grand volume d'eau bouillante salée puis égouttez-les.

**Faites chauffer l'huile** dans un wok pour y faire revenir les oignons, le gingembre et l'ail 2 minutes à feu moyen. Ajoutez les champignons et les nouilles soba. Quand ils sont chauds, versez la sauce de soja et l'eau de trempage réservée. Remuez vivement pour que la sauce nappe les nouilles. Saupoudrez de graines de sésame et de menthe ciselée. Servez sans attendre.

**Préparées avec un mélange de farines de blé et de sarrasin,** les nouilles soba sont d'un brun clair. Si vous les achetez sèches, plongez-les dans un grand volume d'eau bouillante puis rajoutez de l'eau froide dès que l'eau recommence à bouillir. Répétez cette opération 3 à 4 fois avant de les rincer à l'eau froide.

# chou-fleur à l'indienne

Pour **4 personnes**

500 g de **chou-fleur**
1 c. à s. d'**huile d'arachide**
1 **oignon** coupé
en tranches fines
2 gousses d'**ail** pilées
1 c. à s. de **curry de Madras**
en poudre
2 c. à c. de **pâte de curry**
2 **tomates** coupées en huit
125 ml de **bouillon**
de volaille
2 c. à c. de **coulis**
**de tomate**
3 c. à s. de **crème de coco**
100 g de **noix de cajou**
pilées
quelques feuilles
de **coriandre** ciselées

**Commencez** par séparer le chou-fleur en petits bouquets. Faites chauffer un wok, versez l'huile et faites-y dorer l'oignon 2 minutes environ. Ajoutez l'ail, le curry en poudre, la pâte de curry et laissez chauffer 1 minute en remuant pour que le mélange embaume. Ajoutez alors le chou-fleur et mélangez bien.

**Quand le chou-fleur** est totalement recouvert de sauce, incorporez les tomates, le bouillon, le coulis de tomate et la crème de coco. Laissez cuire 6 minutes à feu vif pour que le chou-fleur soit tendre. Parsemez de noix de cajou et de coriandre juste avant de servir, en prenant soin de retirer le wok du feu.

# riz frit à la chinoise

Pour **4 personnes**

350 g de **riz long**
1 c. à s. d'**huile d'arachide**
2 **œufs** légèrement battus
3 **saucisses chinoises**
  coupées en tranches fines
100 g de **haricots verts**
  coupés en petits morceaux
6 **oignons verts** émincés
2 gousses d'**ail** pilées
2 c. à c. de **gingembre** frais
  râpé
160 g de **crevettes** roses
100 g de **petits pois**
  surgelés
2 c. à s. de **sauce de soja**
2 tiges d'**oignon vert**
  ciselées pour décorer

**Rincez le riz** à grande eau puis faites-le cuire 1 minute dans un grand volume d'eau bouillante salée. Égouttez-le et rincez-le sous l'eau froide. Étalez-le sur un grand plateau et mettez-le 2 heures au réfrigérateur.

**Versez** la moitié de l'huile dans un wok préchauffé pour y faire cuire les œufs battus en une omelette fine. Quand la base commence à dorer, retournez-la et laissez-la prendre sur l'autre face puis faites-la glisser dans une assiette avant de la découper en fines lanières.

**Remettez le wok sur le feu**, versez dedans le reste d'huile et faites-y revenir à feu vif les morceaux de saucisses et les haricots verts. Quand ils ont cuit 3 minutes, ajoutez les oignons émincés, l'ail et le gingembre puis les crevettes ; comptez 3 minutes de cuisson avant d'incorporer le riz et les petits pois. Remuez pour réchauffer le mélange, versez la sauce de soja et laissez 1 minute sur le feu pour que le liquide s'évapore. Servez sans attendre après avoir garni le riz sauté de lanières d'omelette et d'oignon vert.

**Les saucisses chinoises** (lap cheong) sont des saucisses de porc sèches. On peut les précuire à la vapeur. Coupez-les en tranches fines avant de les introduire dans un plat. En vente dans les épiceries asiatiques. À défaut, utilisez de la saucisse sèche ou du chorizo.

# tofu sauté aux germes de soja

Pour **4 personnes**

300 g de **tofu** ferme
  coupé en dés
3 c. à s. d'**huile d'arachide**
90 g de **germes de soja**
1 gousse d'**ail** pilée
1 c. à s. de **gingembre** frais
  haché
50 g de tiges de **ciboulette**
  ou d'**ail** frais coupées
  en morceaux de 3 cm
3 c. à s. de **kecap manis**
2 c. à s. de **bouillon** de
volaille
2 c. à c. de **sauce d'huîtres**
quelques feuilles
  de **coriandre** ciselées

**Tamponnez** délicatement le tofu avec du papier absorbant pour enlever toute trace d'humidité puis faites-le revenir dans un wok préchauffé, dans 2 cuillerées à soupe d'huile, pour qu'il dore de toutes parts. Comptez environ 3 minutes de cuisson. Quand il est bien saisi, sortez-le du wok et gardez-le au chaud.

**Faites chauffer** le reste d'huile dans le wok et faites-y sauter les germes de soja, l'ail, le gingembre et les tiges de ciboulette. Quand le mélange est chaud, remettez le tofu dans le wok puis ajoutez le kecap manis, le bouillon et la sauce d'huîtres. Maintenez la cuisson à feu vif pour faire épaissir cette sauce. Décorez de coriandre ciselée et servez sans attendre.

**Le kecap manis** est une sauce de soja épaisse et sucrée ; à défaut, remplacez-la par de la sauce de soja épaisse et ajoutez 2 cuillerées de sucre roux.

# asperges et haricots verts sautés

Pour **4 personnes**

400 g d'**asperges vertes**
300 g de **haricots verts**
1 c. à s. d'**huile végétale**
4 **oignons de printemps**
   hachés
2 gousses d'**ail** hachées
1 petit **piment rouge** frais
   épépiné et émincé
2 c. à s. de **sauce d'huîtres**
1 c. à s. de **nuoc-mâm**
2 c. à c. de **sucre de palme**
   râpé (p. 16) ou
   de sucre roux
½ c. à c. de **poivre noir**
   grossièrement moulu

**Nettoyez les asperges**, éboutez les haricots verts puis coupez ces légumes en tronçons de 5 cm de long.

**Faites chauffer** l'huile à feu vif dans un wok pour y faire revenir les oignons, l'ail et le piment pendant 1 minute. Ajoutez alors les asperges et les haricots et prolongez la cuisson pendant 1 minute, toujours à feu vif et sans cesser de remuer.

**Versez** 3 cuillerées à soupe d'eau dans le wok, couvrez et laissez sur le feu 3 à 4 minutes : les légumes doivent être juste tendres. Ajoutez alors la sauce d'huîtres, le nuoc-mâm, le sucre et le poivre. Remuez vivement pour faire dissoudre le sucre. Servez sans attendre.

# poisson thaï en feuille de betel

Pour **24 pièces**

400 g de **filet de cabillaud**
ou de vivaneau
24 feuilles de **betel**
1 blanc de **citronnelle**
finement haché
2 feuilles de **kaffir** (p. 52)
500 ml de **bouillon**
de volaille
90 g de chair de **noix
de coco** fraîche râpée
grossièrement
1 petite poignée de **menthe
vietnamienne**
3 **échalotes** hachées
180 g de **salade de mer**
pour décorer (facultatif)

**Sauce**
1 c. à s. de **vinaigre au lait
de coco**
(épiceries asiatiques)
1 c. à s. de **jus de citron vert**
3 c. à s. de **nuoc-mâm**
2 c. à c. de **sucre en poudre**
1 petit **piment rouge** frais
finement haché

**Portez à ébullition** dans un wok le bouillon de volaille avec la citronnelle et les feuilles de kaffir. Baissez le feu pour que le liquide frémisse et faites-y pocher le filet de poisson 10 minutes. Il doit être juste cuit pour s'émietter facilement avec une fourchette. Retirez-le du wok, égouttez-le et retirez délicatement les arêtes.

**Préparez** la sauce en mélangeant tous les ingrédients dans un récipient.

**Mélangez** dans un grand plat la noix de coco, la menthe et les échalotes. Émiettez grossièrement le poisson refroidi avec une fourchette avant de l'ajouter dans le plat. Versez la sauce au piment et laissez reposer 15 minutes. Déposez un peu de ce mélange sur chaque feuille de betel, garnissez de salade de mer et servez sans attendre.

**Les feuilles de betel** sont surtout décoratives ; achetez-les fraîches dans une épicerie asiatique. La salade de mer, préparation à base d'algues fraîches cuisinées, se trouve en poissonnerie ou dans certains magasins diététiques.

**La menthe vietnamienne** présente une saveur plus âcre (qui rappelle celle de la coriandre) que la menthe commune. Essayez de vous en procurer dans les épiceries asiatiques car elle apporte une note originale à cette recette typique de la cuisine vietnamienne.

# légumes sautés

**Pour 4 personnes**

1 **carotte** coupée
en tranches fines
1 **poivron rouge** émincé
200 g de **brocoli**
en petits bouquets
120 g de **mini-épis de maïs**
coupés en deux
300 g de **chou chinois**
coupé en lanières de 3 cm
100 g de **pois gourmands**
2 c. à s. d'**huile végétale**
2 gousses d'**ail**
finement hachées
2 c. à c. de **gingembre** frais
râpé
2 c. à s. de **sauce d'huîtres**
2 c. à c. de **sauce de soja**
1 c. à c. de **sucre en poudre**
¼ c. à c. d'**huile de sésame**
2 c. à s. de **Maïzena**
délayée dans 1 c. à s. d'eau

**Faites chauffer** l'huile à feu vif dans un wok pour y faire revenir rapidement l'ail et le gingembre. Ajoutez la carotte et le poivron. Saisissez-les 1 minute environ, toujours à feu vif, avant de faire de même avec le brocoli. Quand il a cuit 2 minutes, incorporez les épis de maïs et le chou chinois puis, 2 minutes plus tard, les pois gourmands. Au bout de ce temps, tous les légumes doivent être cuits en restant légèrement croquants.

**Baissez le feu** pour ajouter la sauce d'huîtres, la sauce de soja, le sucre et l'huile de sésame. Mélangez bien puis versez la Maïzena délayée. Gardez le mélange sur le feu pendant 1 minute pour faire épaissir la sauce. Servez avec du riz vapeur ou des nouilles fraîches.

# épinards sautés

Pour **4 personnes**

800 g d'**épinards frais**
2 c. à s. de **sauce de soja
claire**
1 c. à s. de **nuoc-mâm**
2 c. à s. d'**huile végétale**
3 gousses d'**ail** pilées
4 **échalotes** coupées
en tranches fines
dans la hauteur

**Commencez** par laver les épinards en éliminant la tige dure puis coupez-les grossièrement. Mélangez dans un bol la sauce de soja et le nuoc-mâm.

**Faites chauffer** l'huile à feu vif dans un wok pour y saisir les épinards 1 minute. Ajoutez ensuite l'ail et les échalotes. Laissez sur le feu environ 15 secondes puis versez la sauce. Gardez le mélange sur le feu 30 secondes pour qu'il soit bien chaud. Servez avec du riz vapeur ou des nouilles de riz.

# brocolis chinois au sésame

Pour **4 personnes**

1,5 kg de **brocolis chinois**
1 c. à s. d'**huile d'arachide**
3 gousses d'**ail** pilées
2 c. à c. d'**huile de sésame**
3 c. à s. de **sauce d'huîtres**
2 c. à s. de graines
de **sésame** grillées

**Lavez les brocolis chinois** puis coupez-les en trois. Faites chauffer l'huile d'arachide à feu vif dans un wok pour y faire revenir l'ail 30 secondes. Ajoutez les brocolis et mouillez avec 2 cuillerées à soupe d'eau pour qu'ils n'attachent pas. Faites-les cuire 3 minutes environ pour qu'ils soient juste tendres ; l'eau doit s'être complètement évaporée.

**Versez** l'huile de sésame et la sauce d'huîtres, mélangez 1 minute sur le feu puis retirez le wok du feu. Saupoudrez de graines de sésame et servez.

**Pourvu de longues feuilles vert foncé,** le brocoli chinois possède des bouquets terminaux plus fins et moins nombreux que ceux du brocoli italien. C'est un légume au goût très fin (en vente dans les épiceries asiatiques). On peut le remplacer par des blettes.

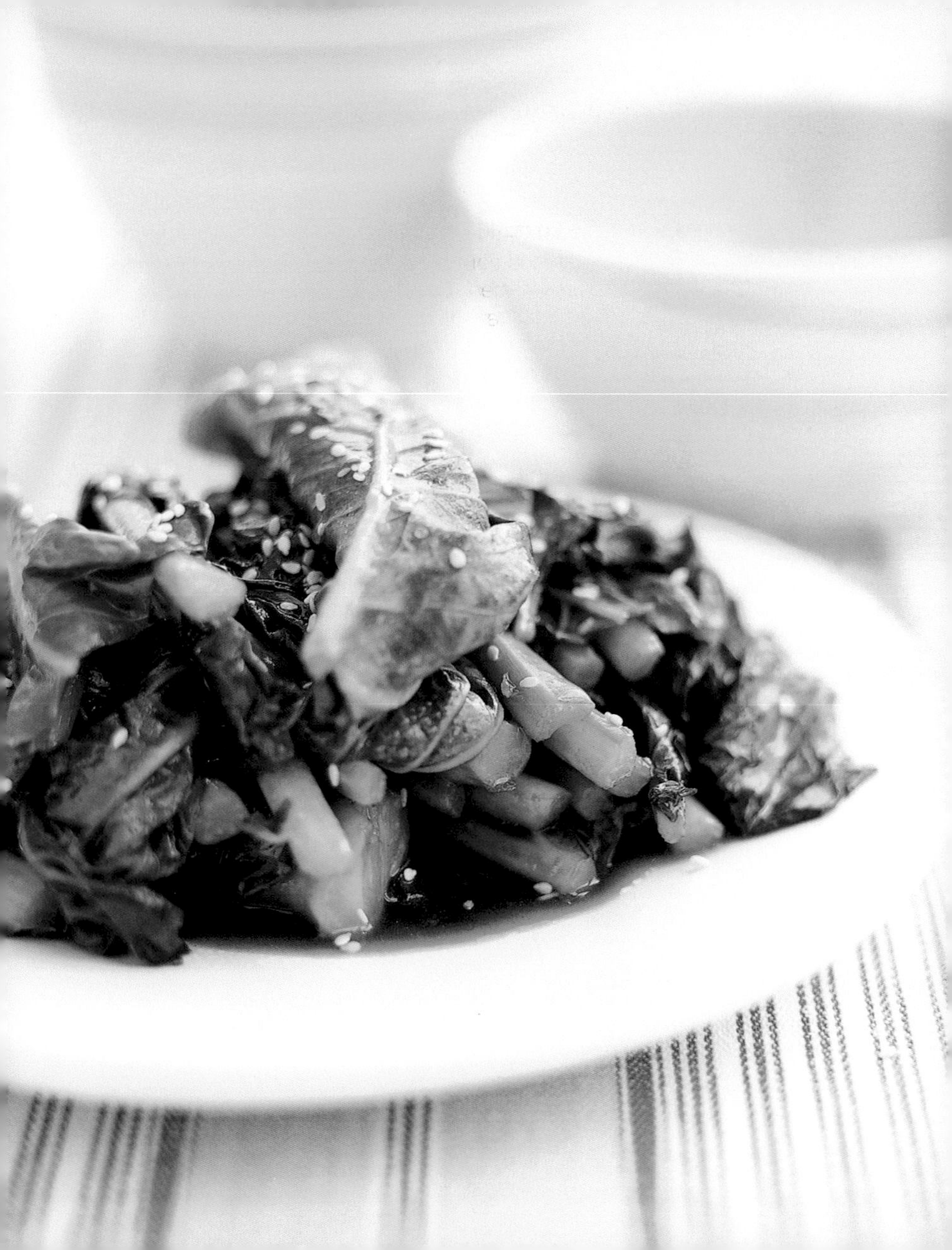

# nouilles hokkien au poivron rouge

Pour **4 personnes**

500 g de **nouilles hokkien**
ou de nouilles fraîches
aux œufs
150 g de **pois gourmands**
1 **carotte** coupée en deux
puis détaillée
en tranches fines
1 **poivron rouge** émincé
1 c. à s. d'**huile végétale**
1 **oignon rouge**
coupé en quartiers fins
2 gousses d'**ail** pilées
1 morceau de **gingembre**
de 3 cm coupé
en bâtonnets
4 c. à s. de **sauce
barbecue chinois**
1 poignée de **coriandre**
fraîche ciselée

**Mettez les nouilles à tremper** 5 minutes dans
de l'eau bouillante (l'eau doit juste les recouvrir).
Quand elles sont souples, séparez-les à la fourchette
et égouttez-les bien.

**Faites chauffer** l'huile à feu vif dans un wok pour y
faire revenir d'abord l'oignon, l'ail et le gingembre puis
les pois gourmands, la carotte et le poivron. Maintenez
sur le feu 3 minutes en agitant vivement le wok puis
incorporez les nouilles sans cesser de remuer. Versez
enfin la sauce barbecue et laissez chauffer 2 minutes.
Décorez de coriandre ciselée et servez sans attendre.

**De couleur rouge,** la sauce barbecue chinoise (char
sui) est à la fois très sucrée et très salée. On l'utilise en
condiment pour tremper les aliments ou en marinade
pour parfumer certaines viandes (canard ou porc
au barbecue chinois). En vente dans les épiceries
asiatiques. On peut la remplacer par un mélange
de sauce de soja et de sauce au piment.

# riz biryani

Pour **4 personnes**

200 g de **riz basmati**
1 pincée de filaments
de **safran**
1 bâton de **cannelle**
4 gousses de **cardamome**
1 belle **pomme de terre**
pelée et coupée en cubes
1 c. à s. de **sel de mer**
3 c. à s. d'**huile végétale**
1 **aubergine**
coupée en cubes
1 **oignon rouge**
détaillé en tranches fines
3 gousses d'**ail** pilées
1 c. à s. de **gingembre** frais
râpé
1 c. à c. de **piment** moulu
1 c. à c. de **cannelle** moulue
1 c. à c. de **coriandre**
moulue
2 c. à c. de **cumin** moulu
1 c. à c. de **cardamome**
moulue
1 c. à c. de **graines**
**de fenouil**
155 g de **haricots verts**
coupés en tronçons
de 2 cm
100 g **petits pois** surgelés
50 g de **raisins secs**
1 poignée de **coriandre**
2 c. à s. de **pistaches**
décortiquées

**Rincez le riz** à l'eau froide jusqu'à ce que l'eau soit complètement transparente. Mettez-le ensuite dans une casserole avec le safran, le bâton de cannelle, les gousses de cardamome, les cubes de pommes de terre et le sel. Versez de l'eau froide jusqu'à 2 cm au-dessus du mélange et faites chauffer à feu moyen. Quand l'eau a frémi 5 minutes, couvrez et poursuivez la cuisson 10 minutes jusqu'à ce que l'eau soit complètement absorbée. Remuez le riz à la fourchette puis étalez-le dans un grand plat pour le faire refroidir. Retirez la cannelle et la cardamome.

**Faites chauffer un wok** à feu vif, versez 2 cuillerées à soupe d'huile et faites-y dorer l'aubergine pendant 4 minutes environ. Retirez-la du wok et réservez-la au chaud.

**Versez** le reste d'huile dans le wok pour y faire revenir l'oignon 1 minute. Ajoutez l'ail, le gingembre, toutes les épices et les haricots verts. Laissez cuire 1 minute en remuant puis incorporez le riz, les cubes d'aubergine, les petits pois, les raisins et les feuilles de coriandre. Réchauffez la préparation en agitant vivement le wok sur le feu. Ajoutez les pistaches juste avant de servir.

# poireau pommes de terre bacon

Pour **4 personnes**

2 **pommes de terre**
1 **poireau**
2 tranches de **bacon**
de l'**huile végétale**
2 **œufs** légèrement battus
2 **oignons verts** émincés
2 c. à s. de **sauce d'huîtres**
2 c. à c. de **sauce de soja
claire**
1 c. à c. de **sucre en poudre**

**Épluchez les pommes de terre** et détaillez-les en bâtonnets. Lavez le poireau, éliminez le vert et émincez le blanc très finement. Coupez le bacon en fines lanières.

**Faites chauffer** 2 cuillerées à soupe d'huile dans un wok à feu moyen puis versez les œufs et inclinez le wok en tous sens pour former une omelette fine. Dès que les côtés commencent à brunir et que les œufs sont pris, faites glisser l'omelette dans une assiette, roulez-la et coupez-la en fines tranches.

**Ajoutez** 1 cuillerée à café d'huile dans le wok pour y saisir le bacon jusqu'à ce qu'il soit croustillant. Retirez-le du wok.

**Versez** 1 autre cuillerée à café d'huile pour y faire sauter les pommes de terre 6 minutes environ. Ajoutez ensuite le poireau émincé et laissez cuire encore 1 minute puis remettez le bacon dans le wok avec les oignons verts, la sauce d'huîtres, la sauce de soja et le sucre. Maintenez sur le feu 1 minute pour que le mélange soit chaud. Garnissez de morceaux d'omelette juste avant de servir.

# nouilles udon au miso blanc

Pour **4 personnes**

600 g de **nouilles udon**
(p. 64)
1 cuillerée à soupe
de **miso blanc**
3 c. à s. de **sauce de soja
japonaise** (p. 26)
1 c. à c. de **mirin**
(vin de riz sucré)
2 c. à s. de **sucre en poudre**
1 c. à c. de **dashi**
en granules (p. 66)
18 g de **wakame**
(algues japonaises séchées)
2 c. à s. d'**huile d'arachide**
2 **aubergines**
coupées en tranches fines
6 **oignons verts** émincés
3 cm de **gingembre** frais
coupé en julienne
150 g de **champignons
shiitake** coupés en deux
2 c. à s. de graines
de **sésame** grillées
2 tiges d'**oignon vert**
émincées pour décorer

**Faites tremper** les nouilles 5 minutes dans l'eau
bouillante en les séparant délicatement avec une
fourchette. Pendant ce temps, mélangez dans un bol
le miso, la sauce de soja, le mirin, le sucre et le dashi.
Faites tremper également les wakame 3 minutes dans
de l'eau froide. Égouttez séparément les algues et
les nouilles.

**Faites chauffer** un wok à feu vif, versez l'huile dedans
en l'étalant bien puis faites-y revenir les tranches
d'aubergines 3 minutes environ. Ajoutez les oignons
verts, le gingembre et les champignons. Laissez cuire
encore 2 minutes à feu vif en remuant.

**Quand les légumes sont tendres,** incorporez les
nouilles, versez la sauce au miso et remuez vivement
pour obtenir un mélange très chaud. Juste avant
de servir, garnissez de graines de sésame et de tiges
d'oignon vert. Dégustez aussitôt.

**Le miso** (rouge ou blanc selon les recettes) est
une pâte fermentée à base de graines de soja, de blé
et de riz ou d'orge. Mélangé au dashi (bouillon japonais),
il compose la base de la plupart des soupes japonaises.
En vente dans les épiceries asiatiques.

# légumes sautés pimentés

Pour **4 personnes**

150 g de **pois gourmands**
150 g de **pleurotes**
200 g de **brocolis**
1 c. à s. d'**huile d'arachide**
1 **oignon rouge**
   coupé en quartiers fins
2 gousses d'**ail** pilées
1 c. à s. de **purée**
   **de piment** sucrée
   (épiceries asiatiques)
1 c. à c. d'**huile de sésame**
2 c. à s. de **sauce d'huîtres**
2 c. à s. de **sauce de soja**
1 c. à s. de **vin de riz**
**chinois**

**Coupez** les pois gourmands et les pleurotes en deux (nettoyez ceux-ci avec un papier absorbant sans les laver à l'eau). Détaillez le brocoli en bouquets ; coupez la tige en bâtonnets.

**Faites chauffer** l'huile d'arachide dans un wok à feu vif pour y faire dorer l'oignon rouge 1 minute, puis l'ail et la purée de piment. Remuez sans cesse pour éviter que le mélange attache. Environ 30 secondes plus tard, ajoutez les légumes et faites-les sauter vivement pendant 2 minutes.

**Mélangez** le reste des ingrédients dans un bol puis versez cette sauce sur les légumes. Maintenez les légumes sur le feu 2 minutes environ pour que la sauce réduise de moitié. Servez sans attendre.

# recettes croustillantes

## la friture au wok

Ne remplissez jamais le wok complètement d'huile. Versez-en seulement jusqu'à mi-hauteur au maximum (un tiers peut suffire). Cette quantité suffit pour saisir les aliments et, n'étant pas trop abondante, l'huile retrouve très vite la bonne température de friture quand vous y ajoutez des ingrédients.

Sortez les ingrédients à température ambiante au moins 30 minutes avant de les faire cuire pour que l'huile ne refroidisse pas trop vite et pour éviter également les projections. Cuisinez toujours les ingrédients par petites quantités, en procédant donc en plusieurs tournées, et gardez-les au chaud dans le four.

Pour éviter les éclaboussures, les aliments doivent être le plus sec possible. Si vous avez lavé les légumes, essuyez-

les bien avec un torchon propre. Tamponnez la viande ou le poisson avec du papier absorbant. Pour les beignets, agitez-les bien pour éliminer l'excédent de pâte. Sortez les aliments marinés à l'aide d'une écumoire.

Utilisez une grande cuillère pour plonger délicatement dans l'huile chaude les bouchées et autres petites pièces, en les faisant glisser sur les côtés du wok. Autre solution, un panier à friture bas, qui offre l'avantage de pouvoir retirer tous les aliments en même temps et donc d'obtenir une cuisson uniforme.

Retournez les aliments dans l'huile avec une spatule en bois pour qu'ils dorent uniformément des deux côtés. Choisissez-la assez longue pour protéger vos mains des éclaboussures.

Pour garder les aliments chauds pendant que d'autres sont en train de cuire, on peut avoir recours à une grille demi-lune qui se fixe sur le bord du wok, au-dessus de la source de chaleur. On peut aussi tout simplement les mettre au four préchauffé à 160 °C. Préparez à portée de main une grande assiette plate tapissée de papier absorbant pour y faire égoutter les aliments frits avant de les garder au chaud.

## principes de base

Pour réussir les fritures, le choix de l'huile est important. Au-delà d'une certaine température, toutes les huiles peuvent perdrent en saveur mais, pour certaines, il faut atteindre une température très élevée (230 °C) pour que leur goût et leur qualité en soient altérés. C'est le cas des huiles végétales, de l'huile d'arachide ou de l'huile de canola. Choisissez de préférence des huiles raffinées plutôt que des huiles « première pression ». Elles ont un goût moins prononcé que les autres et ne couvrent pas celui des aliments. S'il est possible de réutiliser l'huile en la filtrant, nous vous conseillons toutefois d'utiliser une huile toute fraîche, et cela pour deux raisons : d'abord parce qu'une huile filtrée aura pris le goût des aliments qui ont cuit dedans et peut modifier la saveur de votre recette ; ensuite, parce qu'une huile chauffée à très haute température aura légèrement ranci.

La juste température de l'huile est un des éléments essentiels à la réussite de vos fritures au wok, pour qu'elles restent bien tendres  à cœur et croustillantes en surface. Si l'huile n'est pas assez chaude, les aliments mettront trop de temps à cuire et ne seront pas saisis : ils prendront une consistance molle et seront très gras car ils auront absorbé beaucoup d'huile. Dans le cas contraire, ils vont cuire trop vite et noircir en surface en prenant un goût désagréable et légèrement amer. Pour être sûr de votre coup, n'hésitez pas à investir dans un thermomètre spécial, qui se fixe sur le bord du wok ou peut être plongé dans l'huile. Si vous n'avez pas de thermomètre, faites un test avec un morceau de pain : il doit dorer en quelques secondes. Souvenez-vous enfin que la température de l'huile descend légèrement quand vous y plongez des aliments ; prenez soin qu'elle soit à la bonne température avant d'ajouter la suite des ingrédients.

## comment procéder

La friture au wok consiste à faire dorer vivement des aliments entiers dans de l'huile à la limite de l'ébullition. Au final, l'extérieur est délicieusement croustillant tandis que le cœur est tendre à souhait, juste cuit. Sachez que si la cuisson est rapide, les aliments n'absorbent qu'une petite quantité d'huile ; vous pouvez aussi les égoutter sur du papier absorbant dès que vous les avez sortis du wok.

99

# aumônières au poulet

Pour **20 pièces**

1 **champignon shiitake**
séché

1 c. à s. d'**huile d'arachide**

4 **échalotes** finement
hachées

1 gousse d'**ail** pilée

1 petit **piment rouge**
épépiné et émincé

2 c. à s. de **gingembre** frais
râpé

125 g de **blanc de poulet**
haché grossièrement

1 c. à c. de **coriandre**
moulue

quelques feuilles
de **coriandre** ciselées

2 c. à c. de **nuoc-mâm**

20 feuilles de **pâte à raviolis**
chinois (carrées)

20 tiges de **ciboulette**

de l'**huile végétale**
pour la friture

**Faites tremper** le champignon 10 minutes dans de l'eau bouillante puis égouttez-le. Coupez le pied et jetez-le ; émincez le chapeau.

**Faites chauffer** l'huile d'arachide dans un wok pour y faire revenir les échalotes, l'ail, le piment et le gingembre. Quand le mélange embaume, faites colorer le poulet à feu vif. Ajoutez enfin la coriandre en poudre et les feuilles ciselées ainsi que le nuoc-mâm et le champignon émincé. Laissez tiédir.

**Étalez** les feuilles de raviolis sur le plan de travail, garnissez de farce le centre de chacune d'elles puis relevez les angles pour former une aumônière en pinçant légèrement la pâte au-dessus de la farce. Nouez chaque aumônière avec un brin de ciboulette.

**Faites chauffer** de l'huile à 190 °C dans un wok (un morceau de pain plongé dedans doit dorer en 10 secondes). Plongez-y délicatement les aumônières pour les faire frire. Quand elles sont dorées, retirez-les du wok et égouttez-les sur du papier absorbant. Servez sans attendre avec la sauce de votre choix.

# bouchées de thon sésame wasabi

Pour **4 personnes**

500 g de **thon cru**
  coupé en dés
50 g de graines de **sésame
  blanc**
50 g de graines de **sésame
  noir**
2 c. à s. de **vinaigre de riz**

**Sauce au wasabi**
125 g de **mayonnaise**
3 c. à c. de **wasabi**
1 c. à s. de **sauce de soja
  japonaise** (p. 26)
2 c. à c. de **vinaigre de riz**

**Pour préparer la sauce**, délayez la pâte de wasabi dans la mayonnaise avant d'ajouter la sauce de soja et le vinaigre de riz. Réservez au frais jusqu'au moment de servir.

**Mettez** les cubes de thon dans un petit plat creux, saupoudrez-les de graines de sésame et pressez-les bien contre les parois du plat pour faire adhérer le sésame à la chair du poisson.

**Faites chauffer** de l'huile à 180 °C dans un wok (un morceau de pain plongé dedans doit dorer en 15 secondes). Plongez-y les cubes de thon pour les faire frire en plusieurs fois ; comptez 2 minutes environ pour chaque tournée. Égouttez-les et servez-les avec la sauce au wasabi.

**La pâte de wasabi** est un condiment très puissant issu d'un raifort japonais. Il est vendu en poudre (à mélanger avec de l'eau ou de la sauce de soja) ou en tube.

# toasts frits aux crevettes

Pour **12 pièces**

250 g de **chair de crevettes**
2 **oignons verts** émincés
2 gousses d'**ail** pilées
1 blanc de **citronnelle**
   haché très finement
1 poignée de **coriandre**
   ciselée
1 **œuf** légèrement battu
2 c. à c. de **nuoc-mâm**
6 tranches de **pain de mie**
   un peu rassis
   sans la croûte
de l'**huile** pour la friture

**Mixez** grossièrement la chair des crevettes puis ajoutez les oignons verts, l'ail, la citronnelle et la coriandre. Ajoutez l'œuf et le nuoc-mâm et mixez de nouveau. Couvrez et gardez au frais 30 minutes.

**Étalez** le mélange aux crevettes sur les tranches de pain de mie puis coupez celles-ci en deux triangles.

**Faites chauffer** de l'huile à 180 °C dans un wok (un morceau de pain plongé dedans doit dorer en 15 secondes). Plongez-y un toast aux crevettes pour le faire frire 2 minutes environ avant de le retourner afin qu'il cuise sur l'autre face. Égouttez-le et gardez-le au chaud pendant que vous faites frire les autres toasts. Servez sans attendre.

# beignets au porc et aux crevettes

Pour **30 pièces**

200 g de **chair de crevettes**
200 g de **porc** haché
5 **oignons verts** hachés
2 gousses d'**ail** pilées
2 c. à c. de **gingembre** frais
  râpé
1 c. à c. d'**huile de sésame**
2 c. à s. de **sauce de soja**
1 c. à c. de **vin de riz
  chinois**
30 feuilles de **pâte à raviolis**
  chinois (rondes)
de l'**huile** pour la friture

**Sauce au gingembre**
3 c. à s. de **sauce de soja**
1 c. à s. de **vin de riz
  chinois**
3 cm de **gingembre** frais
  coupé en petits bâtonnets

**Commencez** par préparer la sauce en mélangeant tous les ingrédients dans un bol.

**Mettez** la chair de crevettes, le porc, l'oignon vert, l'ail, le gingembre, l'huile de sésame, la sauce de soja et le vin de riz dans le bol du robot. Mixez pour obtenir une farce épaisse.

**Posez** 1 cuillerée à café de cette farce au centre de chaque disque de pâte à raviolis, badigeonnez d'eau le bord et fermez les raviolis en pinçant les bords. Aplatissez-les légèrement.

**Faites chauffer** de l'huile à 180 °C dans un wok (un morceau de pain plongé dedans doit dorer en 15 secondes). Faites-y frire les croissants 3 minutes environ, en procédant en quatre tournées. Égouttez-les sur du papier absorbant et servez-les avec la sauce au gingembre.

# pakoras

Pour **20 pièces**

1 **pomme de terre**
en tranches fines
125 g de **chou-fleur**
en bouquets
125 g de **brocoli**
en bouquets
125 g d'**aubergine**
en tranches fines
80 g de **petits pois** surgelés
de l'**huile** pour la friture

**Raïta à la menthe**
250 g de **yaourt** battu
2 c. à c. de **cumin** moulu
2 c. à c. de **miel** liquide
1 petite poignée de **menthe**
ciselée

**Pâte à frire**
120 g de **farine**
**de pois chiches** (besan)
85 g de **farine à levure**
incorporée
2 c. à s. de **coriandre**
moulue
1 c. à c. de **piment** moulu
1 c. à c. de **garam masala**
(mélange indien
d'épices grillées)
1 c. à c. de **cumin**
en poudre
1 gousse d'**ail** pilée

**Commencez** par préparer le raïta pour lui laisser
le temps de s'imprégner de la saveur de la menthe.
Mélangez tous les ingrédients dans un bol et gardez-le
au frais.

**Préparez la pâte** en mélangeant les deux farines et
les épices dans un récipient. Formez un puits au centre
pour y ajouter l'ail et y verser progressivement 310 ml
d'eau froide. Avec une cuillère en bois, ramenez
la farine des bords vers le centre en mélangeant
bien pour obtenir une pâte fluide.

**Faites blanchir** les pommes de terre 3 minutes dans
de l'eau bouillante, égouttez-les puis mélangez-les
avec le reste des légumes avant de verser le tout
dans la pâte à frire.

**Faites chauffer** de l'huile à 180 °C dans un wok
(un morceau de pain plongé dedans doit dorer en
15 secondes). Prélevez une à une quelques cuillerées
bien pleines de mélange aux légumes et faites-les frire.
Égouttez-les et gardez-les au chaud pendant que vous
faites frire le reste de la préparation. Servez sans
attendre.

# galettes de nouilles et canard

Pour **16 pièces**

1 **canard au barbecue
chinois**
(épiceries asiatiques)
375 g de **rices sticks**
(nouilles de riz séchées)
1 **œuf** légèrement battu
2 c. à s. de **Maïzena**
1 c. à c. d'**huile de sésame**
2 c. à s. de **graines
de sésame**
de l'**huile** pour la friture
100 ml de **sauce de soja**
2 c. à s. de **sucre roux**
3 c. à s. de **mirin**
(vin de riz doux)
2 **oignons verts** émincés

**Fendez le canard** en deux pour le désosser
(éliminez les ailes). Dégraissez-le au maximum
avant de le couper en petits cubes.

**Faites cuire** les nouilles 3 minutes dans de l'eau
bouillante salée puis égouttez-les. Rincez-les à l'eau
froide, égouttez-les de nouveau avant de les laisser
reposer sur du papier absorbant. Quand elles ne sont
plus humides, coupez-les en morceaux de 8 cm.

**Mélangez** les nouilles, l'œuf battu, les deux tiers de la
Maïzena, l'huile et les graines de sésame. Divisez cette
préparation en seize pour façonner des galettes en
les pressant entre la paume de vos mains. Passez-les
dans le reste de Maïzena et mettez-les au frais.

**Mélangez** dans une casserole la sauce de soja, le sucre
et le mirin. Faites épaissir 4 minutes à feu moyen :
le mélange doit à peine bouillir.

**Faites chauffer** de l'huile à 180 °C dans un wok
(un morceau de pain plongé dedans doit dorer en
15 secondes). Faites-y frire en plusieurs fois les galettes
de nouilles puis égouttez-les et gardez-les au chaud.
Faites ensuite frire les morceaux de canard. Garnissez
chaque galette d'un peu de canard frit et décorez le tout
d'oignon vert émincé.

# boulettes thaïes au poulet

Pour **15 pièces**

500 g de **blanc de poulet**
4 **oignons verts** émincés
2 gousses d'**ail** hachées
2 c. à c. de **pâte de curry
vert**
4 feuilles de **kaffir** (p. 52)
1 belle poignée
de **coriandre** ciselée
1 c. à s. de **nuoc-mâm**
3 c. à s. de **crème de coco**
50 g de **haricots verts**
de l'**huile** pour la friture

Sauce au concombre
115 g de **sucre roux**
2 c. à s. de **vinaigre de riz**
1 c. à s. de **sauce
au piment douce**
½ **concombre libanais**

**Commencez par préparer la sauce** : faites dissoudre le sucre dans 125 ml d'eau tiède puis laissez bouillir 5 minutes pour que le liquide épaississe. Incorporez alors le vinaigre, la sauce au piment et le concombre coupé en très petits dés.

**Coupez** les blancs de poulet en morceaux et mettez-les dans le bol du robot avec les oignons, l'ail, la pâte de curry, les feuilles de kaffir, la coriandre, le nuoc-mâm et la crème de coco. Mixez puis ajoutez les haricots verts coupés en tronçons de 5 mm. Façonnez avec cette pâte 15 boulettes et tassez-les légèrement.

**Faites chauffer** de l'huile à 180 °C dans un wok (un morceau de pain plongé dedans doit dorer en 15 secondes). Plongez-y les boulettes pour les faire frire en plusieurs fois. Au bout de 3 minutes environ, sortez-les du wok et égouttez-les. Servez avec la sauce au concombre.

# calamars frits échalotes gingembre

Pour **4 personnes**

2 **calamars** nettoyés
(sans les tentacules)
1 c. à c. de **cinq-épices**
(p. 20)
2 c. à c. de **sel**
2 c. à c. de **sucre
en poudre**
3 gousses d'**ail** pilées
2 c. à s. de **jus de citron
vert**
3 c. à s. de **sauce de soja**
3 c. à c. d'**huile de sésame**
de l'**huile** pour la friture
1 petit morceau
de **gingembre**
coupé en bâtonnets
2 **échalotes** émincées
1 ou 2 **piments rouges**
émincés
1 **citron vert**
coupé en quatre

**Ouvrez les calamars** puis dessinez de petits losanges
avec la pointe d'un couteau, sans percer la chair. Étalez-
les côte à côte dans un plat. Mélangez le cinq-épices,
le sel, le sucre, l'ail, le jus de citron, la sauce de soja et
l'huile de sésame. Versez cette sauce sur les calamars,
retournez-les plusieurs fois pour qu'ils en soient
recouverts puis gardez-les au frais 45 minutes.
Sortez-les ensuite de la marinade et découpez-les
en courtes lanières.

**Faites chauffer** de l'huile à 180 °C dans un wok
(un morceau de pain plongé dedans doit dorer
en 15 secondes). Faites frire les calamars 1 minute
environ (procédez en plusieurs fois) puis égouttez-les
et gardez-les au chaud.

**Faites frire** le gingembre et les échalotes 2 minutes
environ dans l'huile très chaude ; surveillez la cuisson
pour éviter que les échalotes ne brûlent. Parsemez-en
les calamars et nappez de marinade au moment
de servir. Parsemez de piment émincé et servez sans
attendre avec les quartiers de citron.

# beignets de crevettes

Pour **24 pièces**

24 grosses **crevettes**
55 g de **farine de pois
chiches** (besan)
60 g de **farine à levure**
incorporée
1 c. à c. de **gingembre** frais
râpé
1 gousse d'**ail** pilée
1 pincée de **curcuma** moulu
de l'**huile** pour la friture

**Sauce au citron
et au gingembre**
4 c. à s. de **jus de citron**
2 c. à s. de **sucre roux**
1 c. à s. de **nuoc-mâm**
2 c. à c. de **gingembre** frais
râpé
1 gousse d'**ail** pilée

**Décortiquez** les crevettes en gardant les queues. Ouvrez-les et aplatissez-les légèrement. Mélangez dans un saladier les deux farines et faites un puits au centre. Mettez dans un récipient le gingembre, l'ail, le curcuma et 250 ml d'eau. Versez petit à petit ce mélange dans le puits en ramenant progressivement les farines vers le milieu avec un fouet. Vous obtiendrez ainsi une pâte fluide.

**Préparez la sauce** en mélangeant tous les ingrédients dans un récipient. Remuez pour faire dissoudre le sucre.

**Faites chauffer** de l'huile à 170 °C dans un wok (un morceau de pain plongé dedans doit dorer en 20 secondes). Saisissez les crevettes par la queue et plongez-les une à une dans la pâte avant de les faire frire rapidement jusqu'à ce qu'elles soient dorées. Servez avec la sauce.

# bouchées de crevettes frites

Pour **18 pièces**

500 g de petites **crevettes
roses**
4 **oignons de printemps**
émincés
2 gousses d'**ail** pilées
quelques feuilles
de **coriandre**
2 c. à s. de **nuoc-mâm**
1 **œuf** légèrement battu
30 g de **Maïzena**
250 g de **maïs** en boîte
égoutté
de l'**huile** pour la friture
de la **sauce au piment
douce**

**Décortiquez** les crevettes et hachez-les grossièrement.
Mettez-les dans le bol du robot avec les oignons, l'ail,
la coriandre, le nuoc-mâm, l'œuf et la Maïzena. Mixez
en donnant plusieurs impulsions rapides pour obtenir
une pâte grossière. Ajoutez les grains de maïs.
Façonnez 18 galettes, étalez-les dans un grand plat
et mettez-les 30 minutes au frais.

**Faites chauffer** de l'huile à 180 °C dans un wok
(un morceau de pain plongé dedans doit dorer
en 15 secondes). Faites frire les galettes en plusieurs
tournées en les laissant 2 minutes environ dans l'huile
chaude puis égouttez-les. Servez avec la sauce au
piment. Disposez sur la table des bols d'eau citronnée
et des serviettes en papier.

# huîtres frites à la sauce thaïe

Pour **4 personnes**

24 **huîtres** creuses
30 g de **farine**
1 **œuf** battu
    avec 3 c. à s. d'eau
60 g de **chapelure**
de l'**huile** pour la friture

**Sauce thaïe**
4 c. à s. de **vinaigre
    de vin blanc**
3 c. à s. de **sucre roux**
1 tranche de **gingembre**
1 **concombre libanais**
    haché finement
1 petit **piment rouge**
    émincé
3 feuilles de **coriandre**
    ciselées

**Ouvrez les huîtres** et sortez-les de leur coquille. Lavez soigneusement ces dernières et mettez-les de côté. Farinez les huîtres avant de les plonger dans l'œuf battu puis dans la chapelure. Mettez-les ensuite sur une assiette et gardez-les 30 minutes au frais.

**Préparez la sauce** en mélangeant dans une casserole le vinaigre, le sucre et le gingembre. Faites chauffer à feu doux pour faire dissoudre le sucre puis portez à ébullition. Retirez aussitôt du feu et laissez tiédir. Retirez la tranche de gingembre avant d'ajouter le concombre, le piment et la coriandre.

**Faites chauffer** de l'huile à 180 °C dans un wok (un morceau de pain plongé dedans doit dorer en 15 secondes). Plongez les huîtres 1 minute dans le wok puis égouttez-les avant de les présenter dans leurs coquilles. Servez avec la sauce thaïe.

# beignets au curry

Pour **25 pièces**

300 g de **porc**
  grossièrement haché
1 c. à s. d'**huile végétale**
4 **oignons verts** émincés
4 **racines de coriandre**
  lavées et hachées finement
1 gousse d'**ail** émincée
1 c. à c. de **curcuma** moulu
1 c. à c. de **coriandre**
  moulue
1 c. à c. de **curry** en poudre
1 c. à c. de **nuoc-mâm**
2 c. à s. de **sucre**
  **de palme** râpé (p. 16)
  ou de sucre roux
230 g de **pommes de terre**
  cuites réduites en purée
65 g de **petits pois** surgelés
5 rouleaux de **pâte**
  **feuilletée**
de l'**huile** pour la friture
de la **sauce au piment**
  ou une autre sauce
  de votre choix

**Faites chauffer** la cuillerée à soupe d'huile dans un wok pour y faire revenir à feu vif les oignons verts, les racines de coriandre et l'ail. Ajoutez ensuite les épices puis le porc haché. Maintenez 4 minutes sur le feu en remuant avant d'incorporer le nuoc-mâm et le sucre puis, dans un second temps, la pomme de terre écrasée et les petits pois.

**Avec un emporte-pièce**, coupez dans chaque rouleau de pâte 5 disques de 8 cm de diamètre. Déposez au centre de chacun d'eux une pleine cuillerée à soupe de farce et fermez les beignets en demi-lune en pinçant les bords.

**Versez de l'huile dans un wok** jusqu'au tiers de sa hauteur, faites-la chauffer à 180 °C (un morceau de pain plongé dedans doit dorer en 15 secondes) et faites-y frire les beignets en plusieurs tournées. Ils doivent être dorés et croustillants. Égouttez-les et servez-les sans attendre avec la sauce de votre choix.

# raviolis de porc et de crevettes

Pour **24 pièces**

**Garniture**
120 g de **porc** émincé
3 grosses **crevettes**
  décortiquées
4 **châtaignes d'eau**
  hachées (épiceries
  asiatiques)
1 c. à s. de **sauce d'huîtres**
1 c. à c. de **sauce de soja**
½ c. à c. d'**huile de sésame**
1 **échalote** hachée
2 c. à c. de **Maïzena**

24 feuilles de **pâte à raviolis**
  chinois (carrées)
de l'**huile** pour la friture
de la **sauce au piment**
  **douce**

**Pour la garniture**, mixez grossièrement tous les ingrédients puis couvrez-les et gardez-les au moins 3 heures au réfrigérateur.

**Déposez** 1 cuillerée à café de garniture au centre de chaque carré de pâte. Badigeonnez les bords avec un peu d'eau avant de fermer les raviolis en formant des triangles.

**Versez** de l'huile dans un wok jusqu'au tiers de sa hauteur, faites-la chauffer à 190 °C (un morceau de pain plongé dedans doit dorer en 10 secondes) et faites-y frire les raviolis 2 minutes environ, en procédant en plusieurs tournées. Ils doivent être dorés et croustillants. Égouttez-les et servez avec de la sauce au piment.

# porc caramélisé

Pour **4 personnes**

110 g de **sucre en poudre**
de l'**huile** pour la friture
4 **échalotes** émincées
750 g de **filet de porc**
coupé en petits cubes
1 **blanc d'œuf** battu
125 g de **fécule**
**de pommes de terre**
5 **oignons de printemps**
émincés
3 gousses d'**ail** pilées
3 cm de **gingembre** frais
haché
1 c. à s. de **sauce de soja**
1 c. à s. de **jus de citron**
**vert**
3 c. à s. de **sucre**
**de palme** râpé (p. 16)
ou de sucre roux
des **échalotes frites** (p. 52)

**Mélangez** le sucre en poudre et 125 ml d'eau dans une casserole, laissez chauffer à feu moyen pour faire dissoudre le sucre puis portez à ébullition. Quand le mélange a pris la consistance d'un sirop épais (comptez 5 minutes environ), versez progressivement 150 ml d'eau en remuant sans cesse. Laissez frémir 10 minutes pour que la sauce prenne une couleur dorée.

**Faites chauffer** de l'huile à 180 °C dans un wok (un morceau de pain plongé dedans doit dorer en 15 secondes). Faites-y frire les échalotes 1 minute puis égouttez-les soigneusement.

**Plongez** les cubes de viande dans le blanc d'œuf puis dans la fécule de pommes de terre avant de les faire frire en plusieurs tournées, 2 minutes environ à feu vif. Égouttez-les. Videz le wok en ne gardant qu'une cuillerée à soupe d'huile dans laquelle vous ferez revenir l'oignon, l'ail et le gingembre pendant 1 minute. Versez ensuite le caramel et le reste des ingrédients. Remettez la viande dans le wok et mélangez. Servez ce plat sans attendre, garni d'échalotes frites.

# manchons de poulet farcis

Pour **4 personnes**

8 **ailes de poulet**
de la **Maïzena**
de l'**huile** pour la friture
2 **oignons verts** émincés

**Marinade**
2 c. à s. de **sauce
de soja claire**
1 c. à s. de **miel** liquide
2 c. à c. de **gingembre** frais
râpé
2 gousses d'**ail** hachées

**Farce**
180 g de **porc** haché
60 g de **châtaignes d'eau**
hachées (épiceries
asiatiques)
6 feuilles de **coriandre**
ciselées
2 c. à c. de **Maïzena**
3 c. à c. de **gingembre** frais
râpé
2 gousses d'**ail** hachées
2 c. à c. de **sauce d'huîtres**
2 c. à c. de **sauce de soja
claire**
¼ c. à c. d'**huile de sésame**

**Coupez** les ailes de poulet en trois au niveau des articulations (jetez l'extrémité). Avec un bon couteau, dégagez les os en y laissant un peu de chair puis sortez-les. Grattez-les bien et mettez la chair récupérée dans un récipient. Gardez à part les ailerons.

**Préparez la marinade** en mélangeant tous les ingrédients. Versez-la sur les morceaux de poulet et laissez 1 heure au frais.

**Mélangez** tous les ingrédients de la farce et ajoutez les morceaux de poulet marinés. Garnissez-en les ailerons et fermez les extrémités avec des pics à cocktail. Faites chauffer de l'huile à 180 °C dans un wok (un morceau de pain plongé dedans doit dorer en 15 secondes) pour y faire frire les ailerons farcis pendant 8 minutes, en procédant en plusieurs fois. Égouttez-les et servez-les garnis d'oignons verts.

# porc frit et salade de papaye verte

Pour **4 personnes**

250 g de **poitrine de porc**
3 c. à s. de **kecap manis**
(p. 74)
50 g de **sucre roux**
2 c. à s. de **sauce d'huîtres**
1 **étoile d'anis**
1 feuille de **kaffir** (p. 52)
de l'**huile** pour la friture

**Salade de papaye verte**
550 g de **papaye verte**
3 c. à s. de **crevettes**
séchées, trempées
10 minutes dans l'eau
chaude et égouttées
40 g de **cacahuètes** grillées
grossièrement hachées
50 g de **haricots verts**
coupés en quatre
3 **piments oiseaux** hachés
1 gousse d'**ail** pilée
2 c. à c. de **jus de citron
vert**
1 c. à c. de **sucre roux**
1 c. à c. de **vinaigre de riz**
4 feuilles de **chou**

**Coupez** la viande en petits cubes et mettez-la dans un récipient. Mélangez dans une casserole le kecap manis, le sucre, la sauce d'huîtres, l'anis et la feuille de kaffir. Laissez épaissir 3 minutes sur le feu avant d'en napper la viande. Mélangez et réfrigérez une nuit entière.

**Pour la salade**, pelez la papaye et râpez-la grossièrement. Mettez-la dans un saladier avec les crevettes, les cacahuètes, les haricots et les piments. Mélangez dans un bol l'ail, le jus de citron, le sucre, le vinaigre et 1 cuillerée à soupe d'eau. Versez cette sauce sur la salade et mélangez. Présentez la salade dans les feuilles de chou.

**Faites chauffer** de l'huile à 180 °C dans un wok (un morceau de pain plongé dedans doit dorer en 15 secondes). Égouttez bien le porc et faites-le frire dans l'huile chaude environ 3 minutes pour qu'il soit croustillant. Égouttez-le et répartissez-le sur la salade. Servez chaud ou tiède.

**Les piments oiseaux sont très forts :** attention à ne pas vous brûler les yeux en les manipulant (si c'était le cas, rincez abondamment à l'eau tiède).

# bœuf frit deux fois

Pour **4 personnes**

500 g de **rumsteck**
2 **œufs** légèrement battus
40 g de **Maïzena**
de l'**huile** pour la friture

**Garniture**
2 c. à s. d'**huile**
1 **oignon** émincé
1 **carotte** coupée
    dans la longueur en fines
    tranches de 5 cm de long
2 gousses d'**ail** hachées
2 petits **piments rouges**
    frais émincés
2 **oignons verts** émincés
4 c. à s. de **vinaigre noir
chinois** (épiceries
    asiatiques)
80 g de **sucre en poudre**
2 c. à s. de **sauce de soja**
2 c. à c. de graines
    de **sésame** grillées

**Détaillez** les pavés de rumsteck en fines lamelles.
Mélangez les œufs et la Maïzena dans un récipient
puis plongez les morceaux de viande dedans. Faites-les
ensuite frire 30 secondes dans un wok, dans une grande
quantité d'huile chauffée à 170 °C (un morceau de pain
plongé dedans doit dorer en 20 secondes). Procédez
par petites quantités pour éviter que les morceaux
ne s'agglutinent (mélangez délicatement si besoin
pour les séparer). Égouttez-les.

**Videz le wok** et rincez-le en prenant soin de ne pas
vous brûler. Quand il est sec, faites-y chauffer l'huile
de la garniture. Laissez revenir les tranches de carotte
et l'oignon 1 minute, puis l'ail, les piments et les oignons
verts quelques secondes. Remettez le bœuf dans le
wok avant d'incorporer le vinaigre, le sucre et la sauce
de soja. Laissez cuire le mélange 2 minutes à feu vif.
Retirez le wok du feu pour ajouter les graines de sésame.
Servez sans attendre.

# poulet au piment et au miel

Pour **4 personnes**

4 **blancs de poulet**
de l'**huile** pour la friture
de la **farine**
3 c. à s. de **miel** liquide
2 c. à s. de **sauce**
  **au piment**
4 c. à s. de **jus de citron**
2 c. à c. de **sauce de soja**
  **claire**
5 cm de **gingembre** frais
  en fine julienne
4 **oignons verts**
  en fine julienne
2 petites **courgettes**
  en fine julienne
1 **carotte** en fine julienne
3 tiges d'**oignon vert**
  émincées

**Coupez** les blancs de poulet en quatre et farinez-les de toutes parts. Faites chauffer de l'huile à 180 °C dans un wok (un morceau de pain plongé dedans doit dorer en 15 secondes) pour y faire frire les blancs de poulet 4 minutes environ. Égouttez-les.

**Mélangez** dans un récipient le miel, la sauce au piment et le jus de citron.

**Videz le wok** en gardant 1 bonne cuillerée à soupe d'huile et faites-y sauter à feu vif les légumes pendant 1 minute. Versez alors la sauce au miel et laissez frémir à feu vif pour obtenir un sirop épais.

**Remettez** les blancs de poulet dans le wok pour les réchauffer dans la sauce. Décorez de tiges d'oignon vert émincées et servez sans attendre.

# boulettes de crevettes aux légumes

Pour **4 personnes**

**Boulettes de crevettes**
350 g de **chair de crevettes** hachée
80 g de **chapelure**
2 **oignons verts** hachés
2 c. à s. de **gingembre** frais râpé
1 **jaune d'œuf**
1 c. à c. de **Maïzena**

de l'**huile** pour la friture
1 c. à s. de **gingembre** frais en julienne
100 g de **pois gourmands**
100 g de **petits pois** avec la cosse
500 g de **mini-bok choy** coupés en quatre
2 c. à s. de **mirin** (vin de riz doux)
1 c. à s. de **sauce d'huîtres**
1 c. à s. de **sauce au piment douce**
1 poignée de **coriandre** ciselée

**Commencez** par préparer les boulettes : mixez tous les ingrédients en donnant plusieurs impulsions pour éviter d'obtenir une masse collante puis formez 12 boulettes. Mettez-les 20 minutes au réfrigérateur.

**Versez** de l'huile dans un wok jusqu'au tiers de sa hauteur et faites-la chauffer à 180 °C (un morceau de pain plongé dedans doit dorer en 15 secondes). Faites-y frire les boulettes environ 4 minutes pour qu'elles soient cuites et bien dorées. Sortez-les avec une écumoire puis égouttez-les.

**Réservez** seulement 1 cuillerée à soupe d'huile dans le wok pour y faire sauter à feu vif le gingembre, les pois gourmands et les petits pois. Deux minutes plus tard, ajoutez les bok choy, couvrez et laissez cuire encore 3 minutes en remuant de temps en temps.

**Quand les légumes sont tendres,** versez le mirin, la sauce d'huîtres et la sauce au piment. Remuez puis ajoutez les boulettes de crevettes. Garnissez de coriandre et servez.

# travers de porc caramélisés

Pour **4 personnes**

1 kg de **poitrine de porc**
   fraîche
1 c. à s. de **vinaigre de riz**
2 c. à s. de **sauce de soja**
de l'**huile** pour la friture
2 **oignons verts** émincés
1 **piment rouge** allongé,
   épépiné et émincé

**Sauce aux prunes**
2 c. à s. d'**huile végétale**
1 gousse d'**ail** pilée
1 c. à c. de **gingembre** frais
   râpé
2 **oignons verts** émincés
125 ml de **sauce**
   **aux prunes**
   (épiceries asiatiques)
1 c. à c. de **sauce**
   **au piment douce**
2 c. à c. de **sauce de soja**

**Détaillez** la poitrine de porc en morceaux de 5 cm. Mélangez dans un récipient le vinaigre de riz et la sauce de soja. Ajoutez les travers de porc et laissez mariner 30 minutes au frais. Égouttez-les bien puis farinez-les.

**Versez** de l'huile dans un wok jusqu'au tiers de sa hauteur et faites-la chauffer à 180 °C (un morceau de pain plongé dedans doit dorer en 15 secondes). Faites frire les morceaux de porc quelques minutes pour qu'ils dorent bien puis égouttez-les. Jetez l'huile et rincez le wok.

**Pour la sauce aux prunes**, faites chauffer l'huile végétale dans le wok parfaitement sec pour y faire revenir l'ail, le gingembre et les oignons verts. Mouillez ensuite avec les trois sauces et mélangez bien.

**Mettez** les travers de porc dans le wok en les retournant plusieurs fois pour les enrober de sauce et finissez la cuisson 3 minutes à petits bouillons : ils doivent être tendres et la sauce assez épaisse. Décorez de lamelles d'oignon vert et de piment émincé. Servez sans attendre.

# poulet frit au vinaigre noir

Pour **4 personnes**

8 morceaux de **poulet**
  avec os
1 **oignon brun** émincé
1 **carotte** coupée en quatre
4 grains de **poivre noir**
de l'**huile** pour la friture
2 **oignons verts** émincés

**Sauce au vinaigre noir**
3 c. à s. de **vinaigre noir**
  (épiceries asiatiques)
4 c. à s. d'**huile végétale**
1 c. à s. de **sauce de soja**
1 petit **piment rouge**
  épépiné et finement haché
6 feuilles de **coriandre**
  ciselées

**Mettez** les morceaux de poulet dans une casserole avec l'oignon brun, la carotte et le poivre. Versez de l'eau jusqu'à 2,5 cm au-dessus de la viande et portez à ébullition. Dès les premiers bouillons, baissez le feu et laissez frémir 6 minutes. Retirez la casserole du feu et laissez refroidir la viande dans le liquide.

**Préparez la sauce** en mélangeant tous les ingrédients dans un petit bol.

**Retirez** la viande de la casserole, égouttez-la puis séchez-la bien avec du papier absorbant. Versez de l'huile dans un wok jusqu'à mi-hauteur et faites-la chauffer à 190 °C (un morceau de pain plongé dedans doit dorer en 10 secondes). Faites frire les morceaux de poulet 5 minutes environ. Égouttez-les et présentez-les sur des assiettes plates. Nappez-les de sauce et parsemez-les d'oignon vert. Laissez reposer 5 minutes avant de servir.

# filets de poisson en beignet

Pour **4 à 6 personnes**

**Confiture au piment**
1 c. à s. d'**huile**
1 **oignon rouge** haché
4 gousses d'**ail** pilées
1 tige de **coriandre** fraîche
hachée avec les racines
(p. 22)
6 **piments rouges**
allongés, épépinés
et finement hachés
2 c. à s. de **sauce hoisin**
(p. 32)
1 c. à s. de **nuoc-mâm**
95 g de **sucre roux**

4 **filets de poisson**
(cabillaud, perche, julienne)
125 g de **farine à levure**
incorporée
1 c. à c. de **sel fin**
125 ml d'**eau pétillante**
de l'**huile** pour la friture
quelques feuilles
de **coriandre**

**Commencez** par préparer la confiture de piment :
dans un wok préchauffé, versez l'huile et faites-y
revenir l'oignon 3 minutes. Ajoutez l'ail, la coriandre
et les piments ; laissez cuire encore 1 minute. Versez
enfin la sauce hoisin, le nuoc-mâm, le sucre roux et
100 ml d'eau. Laissez épaissir 8 minutes à feu moyen.

**Pour la pâte à frire**, mélangez dans un récipient
la farine et le sel puis versez progressivement l'eau
en fouettant jusqu'à ce que le mélange mousse.

**Versez** de l'huile dans un wok jusqu'au tiers de
sa hauteur et faites-la chauffer à 180 °C (un morceau
de pain plongé dedans doit dorer en 15 secondes).
Plongez un à un les filets de poisson et faites-les frire
3 minutes dans l'huile chaude en procédant en plusieurs
fois. Égouttez-les puis servez-les sans attendre, nappés
de confiture au piment et parsemés de coriandre fraîche.

# pavé de saumon au sésame

Pour **4 personnes**

**Sauce à la coriandre**
2 poignées de **coriandre**
   fraîche
1 tige de **coriandre** ciselée
   (p. 22)
2 gousses d'**ail** pilées
3 **oignons verts** hachés
1 c. à c. de **cumin** moulu
1 c. à s. de **noix de coco**
   séchée
2 c. à c. de **jus de citron**
   **vert**
3 c. à s. de **lait de coco**
3 c. à c. de **nuoc-mâm**

4 pavés de **saumon** frais
de l'**huile** pour la friture
4 gousses d'**ail**
   en tranches très fines
2 **blancs d'œufs** battus
150 g de graines
   de **sésame** grillées

**Pour la sauce**, mixez tous les ingrédients pour obtenir une sauce homogène. Transférez cette dernière dans un bol de service et réservez au frais.

**Versez** de l'huile dans un wok jusqu'au tiers de sa hauteur et faites-la chauffer à 180 °C (un morceau de pain plongé dedans doit dorer en 15 secondes). Faites-y dorer les tranches d'ail quelques secondes. Égouttez-les ensuite sur du papier absorbant.

**Plongez** les pavés de saumon un à un dans les blancs d'œuf puis faites-les frire 2 minutes dans l'huile chaude. Égouttez-les avant de les rouler dans les graines de sésame. Décorez chaque pavé d'un peu d'ail frit et servez avec la sauce à la coriandre.

recettes
mijotées

## du bon usage du wok
### pour les plats mijotés

Si vous choisissez de préparer soupes, currys et plats mijotés dans un wok, vous obtiendrez une cuisson homogène et régulière, avec une température stable. Le liquide ne s'évaporera donc pas trop vite et les aliments garderont tout leur moelleux, sans attacher au fond du wok. Nous spécifions toujours s'il est nécessaire ou non de couvrir le wok pendant la cuisson : respectez bien ces instructions ainsi que le moment indiqué pour ôter éventuellement le couvercle. En vous fiant à votre seule intuition, vous pourriez manquer l'épaississement d'une sauce ou au contraire obtenir un mélange trop liquide. Si vous devez préparer un curry sec (il y aura juste assez de sauce pour enrober les ingrédients), surveillez régulièrement la cuisson pour éviter que les aliments n'attachent.

Pour les currys express, il est préférable

de couper la viande en tranches fines plutôt qu'en cubes. Cela permet de réduire le temps de cuisson. Pour autant, la cuisson durera quand même suffisamment longtemps pour permettre aux arômes de la sauce de se développer.

### pour les currys réussis

Utilisez toujours des épices entières, que vous ferez griller rapidement avant de les piler. Pour cela, il vous faut un pilon et un mortier. Si, par manque de temps, vous optez pour des épices grillées et moulues d'avance, achetez-les de préférence en épiceries fines. Elles sont un peu plus chères, mais il vaut mieux en prendre moins car leur saveur s'altère assez vite.

Pour les pâtes de curry, il est également préférable de les préparer soi-même. Certains ingrédients ne peuvent pas se diviser et vous obligent donc à préparer plus de pâte que nécessaire. Sachez cependant que le surplus se conserve sans problème au réfrigérateur jusqu'à deux semaines.

Certains ingrédients sont indispensables comme le piment, la pâte de crevettes, la citronnelle et des épices pilées et rôties (cumin, coriandre, cardamome…). Si vous employez du tamarin, cuisinez de préférence dans un wok en acier inoxydable car cet aromate est très acide.

Viandes, poissons ou légumes s'imprégneront mieux de la saveur des pâtes de curry si vous les faites mariner au réfrigérateur entre 3 et 12 heures. Pensez à préparer la pâte la veille. Avant cuisson, vous pourrez conserver la viande marinée 1 mois au congélateur. Ce mode de conservation est en revanche impossible avec le poisson qui ne peut être congelé avec sa marinade et qui doit être consommé le jour même.

## les soupes au wok

Pour les soupes, surveillez attentivement le niveau de liquide pour éviter l'évaporation. Vous pourrez alors en ajouter en cours de cuisson, en procédant par petites quantités. Quand la recette l'exige, n'omettez pas de couvrir le wok ou de le découvrir au bon moment. L'évaporation créée par la forme évasée du wok permet de concentrer les arômes et d'obtenir ainsi des soupes très parfumées.

Si le wok en acier est idéal pour les cuissons saisies, le wok en fer est plus adapté aux cuissons lentes car, s'il met du temps à chauffer, il conserve également la chaleur plus longtemps et donc s'avère parfait pour les mijotages prolongés. Les soupes doivent y cuire à petit frémissement, juste en dessous du point d'ébullition. Ajoutez un peu d'eau ou de bouillon si le liquide s'évapore trop vite.

L'emploi d'un wok en acier inoxydable est préconisé pour la cuisson des bouillons ou des soupes qui cuisent lentement, certains ingrédients pouvant

attaquer, même légèrement, le matériau et provoquer en outre une coloration peu appétissante de la recette. En revanche, les woks en acier carbone feront l'affaire pour les cuissons rapides.

## quelques secrets pour réussir

Utilisez de préférence du bouillon maison, préparé la veille : si vous le placez au froid, une couche solide de gras se formera à la surface que vous pourrez enlever facilement pour une recette plus légère. Si vous manquez de temps, cuisinez avec des bouillons cubes, mais le résultat ne sera pas aussi bon.

Pour la préparation des soupes aux nouilles, faites cuire les nouilles à l'avance. Vous les ajouterez dans la soupe au dernier moment pour les réchauffer. Si vous utilisez des nouilles fraîches et très fines, vous pouvez les mettre directement dans les bols de service : elles cuiront dans le bouillon chaud.

149

# soupe vietnamienne au poulet

Pour **4 personnes**

1 **blanc de poulet**
2,5 l de **bouillon** de volaille
8 grains de **poivre noir**
3 c. à s. de **gingembre** râpé
1 **oignon brun** émincé
3 c. à s. d'**échalotes frites**
  (p. 52)
1 à 2 c. à s. de **nuoc-mâm**
500 g de **nouilles de riz**
  fraîches (rondes)
3 c. à s. de **coriandre**
  ciselée
90 g de **germes de soja**
quelques feuilles de **menthe
  vietnamienne** (p. 78)
2 **piments rouges** émincés
des quartiers de **citron vert**

**Versez** dans un wok le bouillon et 125 ml d'eau.
Ajoutez le poivre, le gingembre, l'oignon, les échalotes
frites et le nuoc-mâm. Portez à ébullition puis laissez
frémir 5 minutes. Faites ensuite pocher le blanc de poulet
entre 12 et 15 minutes selon sa taille. Sortez-le avec
une écumoire, laissez-le égoutter puis émincez-le
grossièrement. Passez le bouillon dans un tamis fin
puis remettez-le à chauffer dans le wok nettoyé.

**Mettez** les nouilles dans un saladier, couvrez-les d'eau
bouillante et remuez-les délicatement avec une fourchette
pour les séparer. Égouttez-les, rincez-les sous l'eau
froide puis égouttez-les de nouveau. Répartissez-les
entre quatre bols à soupe. Ajoutez le blanc de poulet
émincé et couvrez de bouillon chaud. Garnissez
de coriandre ciselée, de germes de soja, de feuilles
de menthe et de piment. Servez avec les quartiers
de citron.

# moules thaïes au lait de coco

Pour **4 personnes**

1 kg de grosses **moules**
1 blanc de **citronnelle**
coupé en morceaux
de 2 cm
2 feuilles de **kaffir** (p. 52)
+ 2 feuilles ciselées
pour décorer
1 c. à s. d'**huile végétale**
1 **oignon rouge** émincé
2 gousses d'**ail** pilées
1 c. à s. de **pâte de curry
rouge**
270 ml de **lait de coco**
1 c. à s. de **nuoc-mâm**
1 c. à s. de **jus de citron
vert**
2 c. à c. de **sucre de palme**
râpé (p. 16) ou de sucre
roux
1 **piment rouge** coupé
en fines lanières

**Grattez les moules** sous l'eau froide et coupez
les barbes. Jetez celles qui ne se referment pas quand
vous les pressez entre vos doigts. Faites bouillir 750 ml
d'eau dans une casserole, ajoutez la citronnelle et
2 feuilles de kaffir puis les moules. Couvrez et laissez
cuire 3 minutes environ pour faire ouvrir ces dernières.
Sortez-les de la casserole avec une écumoire et jetez
celles qui sont restées fermées.

**Faites chauffer** l'huile dans un wok pour y faire revenir
l'oignon et l'ail pendant 2 minutes. Ajoutez la pâte
de curry et laissez-la chauffer 1 minute pour libérer
les arômes puis versez progressivement le lait de coco
en remuant avec une cuillère en bois. Portez à ébullition
puis laissez frémir 3 minutes. Quand la sauce a un peu
épaissi, ajoutez le nuoc-mâm et le sucre.

**Répartissez** les moules dans de grands bols et versez
la sauce dessus. Décorez de piment et de feuilles
de kaffir restantes.

# dahl aux oignons et lentilles rouges

Pour **4 personnes**

3 c. à s. de **ghee** (beurre
clarifié) ou d'huile végétale
2 c. à c. de graines
de **moutarde noire**
1 **oignon blanc** émincé
1 **oignon rouge** coupé
en quartiers
3 gousses d'**ail** pilées
1 c. à c. de **curcuma** moulu
1 c. à c. de **cumin** moulu
2 **piments verts** épépinés
et émincés
225 g de **lentilles rouges**
300 ml de **lait de coco**
3 **oignons verts** émincés
1 poignée de **coriandre**
des quartiers de **citron**

**Faites chauffer** le ghee dans un wok et faites-y éclater
les graines de moutarde. Ajoutez ensuite les oignons
et laissez-les cuire 5 minutes avant d'incorporer l'ail
puis les épices et les piments verts. Prolongez la cuisson
de 2 minutes.

**Ajoutez** les lentilles, le lait de coco et 1 litre d'eau
chaude. Portez à ébullition puis laissez frémir 50 minutes
à couvert. Les lentilles doivent avoir absorber presque
tout le liquide. Dans le cas contraire, laissez cuire
encore 5 minutes.

**Répartissez** le dahl dans quatre bols de service et
décorez d'oignons verts et de coriandre ciselée. Servez
avec les quartiers de citron et des galettes indiennes.

**Le ghee** est un beurre clarifié indien qui supporte
les très hautes températures sans brûler.
Vous le trouverez dans les épiceries asiatiques.
À défaut, utilisez du beurre.

154

# soupe de poulet thaïe

Pour **4 à 6 personnes**

**Bouillon de volaille**
500 g d'**ailes de poulet**
6 **échalotes**
6 tiges de **coriandre**
  avec les racines (p. 22)
10 grains de **poivre noir**
du **gros sel**

2 **blancs de poulet**
10 feuilles de **kaffir** (p. 52)
2 tiges de **citronnelle**
  écrasées
8 tranches de **galanga**
1 **piment rouge** allongé,
  émincé en biseau
500 ml de **lait de coco**
2 c. à s. de **nuoc-mâm**
1 c. à s. de **jus de citron
  vert**
quelques feuilles
  de **coriandre**

**Préparez** le bouillon la veille : mettez tous les ingrédients dans un faitout, versez 2,5 litres d'eau et portez à ébullition. Réduisez le feu et laissez frémir 1 heure environ. Laissez le bouillon refroidir dans le faitout puis mettez-le au réfrigérateur. Le lendemain, retirez la graisse figée à la surface.

**Détaillez** les blancs de poulet en fines lamelles. Mettez le bouillon dans un grand wok avec les feuilles de kaffir, la citronnelle, le galanga, le piment et le lait de coco. Portez à ébullition. Baissez ensuite le feu et laissez mijoter 5 minutes avant d'ajouter les blancs de poulet. Prolongez la cuisson de 5 minutes puis incorporez le nuoc-mâm et le jus de citron. Répartissez la soupe dans de grands bols et décorez le dessus de feuilles de coriandre.

**Le galanga** est un rhizome dont la chair à peine rosée prend une teinte rouge vif en mûrissant. Sa saveur n'est pas très éloignée de celle du gingembre. Pour les soupes, choisissez du galanga jeune de préférence (il est plus aromatique mais moins relevé). Plus mûr, il est très poivré et convient très bien pour les pâtes de curry.

# soupe de crabe et d'asperges

Pour **4 personnes**

1 gros **tourteau** cuit
250 g d'**asperges vertes**
1 c. à s. d'**huile végétale**
1 à 2 c. à s. de **purée de piment**
4 **échalotes**
1 gousse d'**ail** pilée
2 c. à s. de **nuoc-mâm**
1 l de **bouillon** de volaille
3 blancs de **citronnelle** finement hachés
2 c. à s. de **jus de citron vert**
4 feuilles de **kaffir** (p. 52)
6 feuilles de **coriandre** ciselées
2 **oignons verts** émincés

**Décortiquez** le crabe pour en retirer la chair. Veillez à enlever tous les morceaux de cortex. Coupez les asperges en tronçons de 3 cm.

**Versez** l'huile dans un wok bien chaud puis ajoutez la purée de piment et remuez 30 secondes. Quand elle embaume, ajoutez les échalotes et l'ail ; laissez-les dorer 30 secondes. Mettez ensuite le crabe dans le wok avec la moitié du nuoc-mâm. Quand il a cuit 1 minute, retirez le mélange du wok et réservez-le au chaud.

**Mettez** le bouillon dans le wok nettoyé avec le jus de citron, la citronnelle, le reste du nuoc-mâm et 3 feuilles de kaffir. Portez à ébullition puis laissez frémir 10 minutes. Filtrez le bouillon avant de le remettre dans le wok.

**Portez** de nouveau le bouillon à ébullition avant d'ajouter les asperges. Quand elles ont cuit 3 minutes, remettez le mélange au crabe dans le wok, mélangez et laissez sur le feu 1 minute (le liquide doit juste frémir). Versez la soupe dans des bols de service et garnissez-la de coriandre, d'oignon vert et de la dernière feuille de kaffir ciselée.

# curry d'agneau et patate douce

Pour **4 personnes**

800 g d'**épaule d'agneau**
  désossée
1 c. à s. de **ghee** (p. 154)
1 **oignon brun** haché
3 gousses d'**ail** hachées
1 c. à s. de **gingembre**
  frais râpé
3 c. à s. de **pâte de curry**
  de votre choix
400 g de **tomates pelées**
  en boîte
8 feuilles de **curry**
  (épiceries asiatiques)
125 g de **yaourt** brassé
250 g de **patate douce**
  à chair orangée
40 g d'**amandes effilées**
  légèrement grillées
1 poignée de **basilic**

**Détaillez** la viande en cubes de 3 cm et laissez-la à température ambiante, dans un récipient.

**Faites chauffer** le ghee à feu vif dans un wok pour y faire dorer 3 minutes l'oignon, l'ail et le gingembre. Ajoutez ensuite la pâte de curry. Quand elle embaume, incorporez les tomates avec leur jus, les feuilles de curry, la viande, le yaourt et 125 ml d'eau. Portez à ébullition puis baissez le feu. Quand le mélange frémit à peine, couvrez et laissez mijoter 1 heure en remuant de temps en temps.

**Ajoutez** alors les patates douces pelées et coupées en cubes puis laissez-les cuire 30 minutes à couvert, à feu moyen. Arrêtez la cuisson quand la viande est très tendre et les patates douces cuites à cœur. Dans le cas contraire, prolongez de quelques minutes pour obtenir la cuisson désirée (ajoutez un peu d'eau si la sauce attache). Servez ce curry décoré d'amandes grillées et de basilic ; accompagnez d'un riz jasmin.

**Pour obtenir 800 g de viande,** achetez une épaule d'agneau d'environ 1,3 kg. Faites-la désosser par votre boucher.

# curry vert de poisson

Pour **4 personnes**

**Pâte de curry**
2 c. à c. de **pâte
de crevettes** séchées
2 **piments verts** allongés
8 **piments oiseaux** (p. 130)
4 gousses d'**ail**
4 **échalotes**
4 **racines de coriandre**
(p. 22)
1 morceau de **galanga**
haché (p. 156)
1 blanc de **citronnelle**
haché
2 feuilles de **kaffir** (p. 52)
1 c. à c. de **cumin** moulu
1 c. à c. de **coriandre**
moulue
5 grains de **poivre blanc**
1 c. à s. d'**huile végétale**
1 c. à s. d'**eau**

500 g de **filet de poisson**
250 ml de **crème de coco**
400 ml de **lait de coco**
6 feuilles de **kaffir** (p. 52)
100 g de **haricots verts**
coupés en trois
280 g de **pousses
de bambou** en boîte
bien égouttées
200 g de **brocoli** détaillé
en bouquets
1 poignée de **basilic thaï**
(p. 34)

**Commencez** par préparer la pâte de curry. Épépinez les piments en prenant soin de ne pas vous brûler avec les piments oiseaux, très piquants (voir p. 130). Faites chauffer à sec la pâte de crevettes dans un wok (1 minute environ) puis mixez-la avec le reste des ingrédients.

**Détaillez** le filet de poisson en cubes. Faites chauffer la crème de coco 5 minutes dans un wok : une couche d'huile va se former en surface. Ajoutez alors 3 cuillerées à soupe de pâte de curry (gardez le reste au frais pour un autre emploi) et laissez chauffer 2 minutes. Quand le mélange embaume, incorporez le reste des ingrédients, sauf le poisson et le basilic. Laissez cuire 4 minutes avant d'ajouter le poisson. Quand il est cuit (comptez 3 minutes), retirez le wok du feu et ajoutez le basilic ciselé.

**La pâte de crevettes** est un ingrédient important de la cuisine thaïe. Obtenue à partir de crevettes séchées puis salées et fermentées au soleil, elle est vendue en bloc compact (épiceries asiatiques). On peut la faire rôtir pour en exhausser la saveur. Le basilic thaï a un goût plus anisé que le basilic commun, mais ce dernier peut convenir pour les recettes exotiques.

# curry de porc

Pour **4 personnes**

**Pâte de curry**
10 **piments rouges** séchés
1 c. à s. de **pâte
de crevettes** (p. 162)
1 c. à c. de **poivre blanc**
1 blanc de **citronnelle**
haché
5 **échalotes** émincées
5 gousses d'**ail** pilées
1 c. à c. de **galanga** émincé
(p. 156)
2 c. à c. de **gingembre**
frais râpé
2 racines de **coriandre**
hachées (p. 22)

500 g de **filet de porc**
1 c. à s. d'**huile d'arachide**
1 gousse d'**ail** pilée
500 ml de **bouillon** de volaille
1 c. à s. de **nuoc-mâm**
85 g d'**aubergines** thaïes
100 g de **haricots verts**
60 g de **pousses de bambou**
en boîte
4 feuilles de **kaffir** (p. 52)
1 poignée de **basilic thaï**
(p. 34)
1 **piment rouge** allongé,
épépiné et émincé

**Pour la pâte de curry,** faites tremper les piments 10 minutes dans un peu d'eau bouillante puis égouttez-les. Faites chauffer à sec la pâte de crevettes dans un wok (1 minute environ) puis mixez-la avec le reste des ingrédients. Ajoutez un peu d'eau si nécessaire.

**Coupez** le porc en petits cubes. Faites chauffer un wok à feu moyen, versez l'huile et faites-y chauffer l'ail avec 4 cuillerées à soupe de pâte de curry (gardez le reste au frais pour un autre emploi). Quand le mélange embaume, faites-y revenir la viande 3 minutes avant de verser le bouillon et le nuoc-mâm. Portez à ébullition puis ajoutez les aubergines coupées en quatre, les haricots coupés en tronçons de 3 cm, les pousses de bambou et les feuilles de kaffir. Laissez frémir 10 minutes. Quand la viande est cuite, retirez le wok du feu pour garnir ce curry de basilic ciselé et de piment émincé.

**L'aubergine thaïe** est ronde et assez petite, de couleur verte ou jaune. À défaut, utilisez l'aubergine commune (coupez-la en cubes).

# curry de légumes

Pour **4 personnes**

**Pâte de curry**
2 **piments rouges** séchés
2 c. à s. de **graines
    de coriandre**
5 cm de **galanga** haché
    (p. 156)
1 blanc de **citronnelle**
    haché
4 **échalotes** hachées
1 c. à c. de **cumin** moulu
½ c. à c. de **cannelle**
    moulue

2 c. à s. d'**huile d'arachide**
3 gousses d'**ail** pilées
5 cm de **gingembre** frais
    râpé
½ c. à c. de **curcuma** moulu
3 c. à s. de **lait de coco**
300 g de **champignons
    shiitake** émincés
125 g de **haricots verts**
    en petits morceaux
125 g de **mini-épis de maïs**
    coupés en deux
1 c. à s. de **jus de citron vert**
1 c. à s. de **sauce de soja**
2 c. à c. de **sucre roux**
2 c. à s. de **nuoc-mâm**
65 g de **germes de soja**
quelques feuilles
    de **coriandre**

**Pour préparer** la pâte de curry, commencez par faire tremper les piments 10 minutes dans de l'eau bouillante puis égouttez-les. Mettez-les dans un mortier avec le reste des ingrédients et pilez-les. Pour une pâte plus homogène, mixez le tout. Ajoutez un peu d'eau si nécessaire.

**Faites chauffer** l'huile dans un wok pour y faire revenir 30 secondes l'ail et le gingembre. Quand le mélange embaume, délayez-le avec la pâte de curry et laissez chauffer le tout 2 minutes.

**Ajoutez successivement**, en remuant entre chaque ajout, le curcuma, le lait de coco, les champignons, les haricots, les épis de maïs, le jus de citron, la sauce de soja, le sucre, puis le nuoc-mâm. Mouillez avec 250 ml d'eau bouillante. Laissez cuire encore 2 minutes. Retirez le wok du feu pour ajouter la coriandre et les germes de soja. Servez sans attendre avec du riz blanc.

# curry de poulet panang

Pour **4 personnes**

**Pâte de curry**
6 **piments rouges**
longs séchés
4 **échalotes** hachées
6 gousses d'**ail** hachées
3 blancs de **citronnelle**
hachés
6 cm de **galanga** haché
(p. 156)
1 c. à c. de **coriandre**
moulue
2 c. à c. de **cumin** moulu
6 **racines de coriandre**
hachées (p. 22)
2 c. à c. de **pâte
de crevettes** (p. 162)
4 c. à s. de **cacahuètes**
pilées
1 c. à s. d'**huile d'arachide**

600 g de **blanc de poulet**
2 c. à s. d'**huile végétale**
2 gousses d'**ail** pilées
400 ml de **lait de coco**
1 c. à s. de **nuoc-mâm**
2 c. à s. de **sucre roux**
1 poignée de **coriandre**
ciselée
1 **piment vert** long, épépiné
et émincé

**Pour préparer** la pâte de curry, commencez par faire tremper les piments 10 minutes dans de l'eau bouillante puis égouttez-les. Mixez-les avec le reste des ingrédients pour obtenir une pâte homogène et presque lisse, en ajoutant au besoin un peu d'eau si elle vous semble trop compacte. Prélevez-en 3 cuillerées à soupe pour la recette et gardez le reste au frais pour un autre emploi.

**Faites chauffer** l'huile végétale à feu vif dans un wok pour y faire revenir l'ail et la pâte de curry 5 minutes environ. Surveillez la cuisson pour que la pâte n'attache pas. Ajoutez ensuite le lait de coco et laissez frémir 5 minutes à feu moyen. Versez le nuoc-mâm et le sucre puis ajoutez les blancs de poulet coupés en petits morceaux. Couvrez et laissez mijoter 10 minutes. Garnissez de coriandre ciselée et de piment. Servez sans attendre avec du riz blanc.

# porc au curry à la vietnamienne

Pour **4 personnes**

1 kg de **filet de porc**
3 c. à s. d'**huile d'arachide**
1 **oignon brun** émincé
3 gousses d'**ail** pilées
2 cm de **galanga** haché
(p. 156)
2 petits **piments rouges**
émincés
1 blanc de **citronnelle**
finement haché
3 c. à s. de **curry en poudre**
400 ml de **lait de coco**
1 c. à s. de **jus de citron**
450 g de **patate douce**
coupée en cubes
40 g de **cacahuètes** grillées
et pilées grossièrement
1 petite poignée de **menthe**

**Commencez** par couper le filet de porc en petits cubes. Faites chauffer l'huile dans un wok pour y faire revenir l'oignon 4 minutes. Quand il est tendre et doré, ajoutez l'ail, le galanga, les piments et la citronnelle. Laissez chauffer 2 minutes environ pour que le mélange embaume.

**Incorporez** le curry en poudre et la viande en remuant. Laissez la viande dorer 4 minutes environ avant de verser le lait de coco. Laissez frémir 45 minutes sans couvrir, en remuant régulièrement et en ajoutant un peu d'eau si la sauce attache.

**Quand le mélange** est presque cuit, ajoutez le jus de citron et la patate douce. Prolongez la cuisson 30 minutes à feu moyen. Retirez le wok du feu pour ajouter les cacahuètes et la menthe. Servez aussitôt.

# curry rouge de crevettes

**Pour 4 personnes**

750 g de **crevettes**
50 g de **ghee** (p. 154)
1 **oignon** coupé en fins
   quartiers
2 gousses d'**ail** pilées
2 c. à c. de **cumin** moulu
1 c. à c. de **paprika** doux
2 c. à c. de **garam masala**
   (mélange indien d'épices
   grillées)
2 c. à c. de **coriandre**
   moulue
2 c. à s. de **pâte tandoori**
2 c. à c. de **purée**
   **de tomates**
200 g de **tomates** fraîches
   concassées
300 ml de **crème liquide**
250 ml de **crème de coco**
1 bâton de **cannelle**
2 c. à c. de **sucre roux**
1 c. à s. de **jus de citron**
quelques feuilles
   de **coriandre**

**Décortiquez** les crevettes en gardant les queues.
Faites chauffer un wok à feu vif, ajoutez le ghee
puis faites-y revenir l'oignon 3 minutes. Ajoutez l'ail,
le cumin, le paprika, le garam masala et la coriandre
moulue. Remuez 30 secondes.

**Versez** la pâte tandoori et la purée de tomates.
Laissez chauffer 1 minute sans cesser de remuer
puis ajoutez les tomates concassées, la crème liquide,
la crème de coco et le bâton de cannelle.
Laissez épaissir 5 minutes.

**Mettez** les crevettes dans le wok. Quand elles sont
cuites (comptez 2 à 3 minutes), incorporez le sucre
et le jus de citron. Pour servir, ôtez le bâton de cannelle
et parsemez le dessus de coriandre ciselée.
Dégustez avec du riz basmati.

# curry de bœuf malais

Pour **4 personnes**

1 kg de **paleron de bœuf**
2 c. à s. de **pulpe de tamarin**
   (p. 40)
25 g de **noix de coco**
   séchée
5 petits **piments rouges**
   épépinés et émincés
6 **échalotes** coupées
   en quatre
4 gousses d'**ail**
4 **noix de macadamia**
3 c. à s. d'**huile végétale**
1 c. à c. de **curcuma** moulu
1 c. à c. de **cumin** moulu
1 c. à c. de **coriandre** moulue
½ c. à c. de **cannelle** moulue
2 **zestes de citron**
2 **tomates** fraîches
   concassées
1 c. à c. de **sucre brun**
400 ml de **lait de coco**

**Coupez** le bœuf en petits cubes. Ôtez le plus de gras possible. Laissez à température ambiante jusqu'au moment de le faire cuire.

**Faites tremper** la pulpe de tamarin 10 minutes dans 3 cuillerées à soupe d'eau bouillante. Remuez-la ensuite avec une fourchette puis égouttez-la. Passez-la dans un tamis fin pour éliminer les fibres ; réservez l'eau de tamarin récupérée.

**Faites dorer** à sec la noix de coco dans un wok puis mettez-la de côté. Mixez les piments, les échalotes, l'ail et les noix de macadamia. Faites chauffer l'huile dans le wok et faites-y chauffer cette purée 1 minute environ. Quand les arômes se libèrent, ajoutez les épices moulues et laissez cuire encore 3 minutes en remuant. Incorporez enfin les morceaux de bœuf et laissez-les dorer de toutes parts 3 minutes en remuant sans cesse.

**Mettez** dans le wok les zestes de citron, les tomates, le sucre, le lait de coco, l'eau de tamarin et la noix de coco grillée. Laissez frémir 1 h 30 sans couvrir, en remuant régulièrement ; ajoutez un peu d'eau dès que la sauce commence à attacher. À la fin de la cuisson, la viande doit être tendre et la sauce aura réduit d'un tiers environ. Servez sans attendre avec du riz vapeur.

# curry de potiron

Pour **4 personnes**

1 kg de **potiron**
2 c. à s. d'**huile végétale**
1 c. à c. de graines
  de **moutarde jaune**
1 **oignon brun** haché
1 c. à c. de **gingembre**
  frais râpé
1 **piment vert** épépiné
  et émincé
1 c. à c. de **coriandre**
  moulue
½ c. à c. de **garam masala**
  (mélange indien d'épices
  grillées)
½ c. à c. de **curcuma** moulu
½ c. à c. de **piment** moulu
400 g de **tomates**
  concassées en boîte
2 c. à c. de **sucre roux**
3 c. à c. de **yaourt** brassé
quelques feuilles
  de **coriandre**

**Épluchez** le potiron, retirez les graines et détaillez la chair en petits cubes. Faites chauffer l'huile dans un wok pour y faire revenir les graines de moutarde jusqu'à ce qu'elles éclatent. Ajoutez alors l'oignon, le gingembre et le piment. Quand le mélange a cuit 2 minutes, incorporez les épices moulues en remuant 1 minute à feu moyen.

**Ajoutez** alors les cubes de potiron, les tomates concassées, le sucre et 125 ml d'eau. Portez à ébullition puis réduisez le feu et laissez mijoter 30 minutes en remuant régulièrement. Versez progressivement le yaourt. Quand la sauce est assez chaude (attention, elle ne doit pas bouillir), retirez le wok du feu et ajoutez la coriandre ciselée. Servez avec du riz vapeur.

# curry rouge au poulet

Pour **4 personnes**

600 g de **blanc de poulet**
500 ml de **lait de coco**
2 c. à s. de **pâte de curry
rouge**
5 cm de **gingembre** frais
détaillé en fine julienne
125 ml de **bouillon** de volaille
4 feuilles de **kaffir** (p. 52)
125 g de **haricots verts**
coupés en deux
2 c. à s. de **nuoc-mâm**
1 c. à s. de **sucre de palme**
râpé (p. 16) ou de sucre
roux
1 c. à s. de **jus de citron vert**
quelques feuilles
de **coriandre**

**Dégraissez** les blancs de poulet puis coupez-les en tranches assez fines. Faites chauffer un wok à feu moyen. Ajoutez 2 cuillerées à soupe du liquide épais remonté à la surface du lait de coco (pour cela, il faut éviter d'agiter la boîte avant emploi), la pâte de curry et le gingembre. Quand le mélange a cuit 2 minutes, versez le reste du lait de coco et le bouillon avant d'ajoutez les feuilles de kaffir. Portez à ébullition puis laissez frémir 10 minutes à feu moyen pour faire épaissir cette sauce.

**Incorporez** les morceaux de poulet et les haricots. Laissez frémir de nouveau 5 minutes puis versez le nuoc-mâm, le sucre et le jus de citron. Mélangez bien. Au moment de servir, décorez de coriandre ciselée. Accompagnez de riz vapeur.

# curry de la mer à la vietnamienne

Pour **4 personnes**

**Pâte de curry**
1 c. à s. de graines
de **coriandre**
2 c. à c. de graines
de **cumin**
1 c. à c. de **piment** moulu
2 c. à c. de **pâte**
**de crevettes** séchées
(p. 162)
4 gousses d'**ail** hachées
2 blancs de **citronnelle**
finement hachés
1 petit morceau de **curcuma**
haché
5 **oignons verts** hachés
3 cm de **gingembre**
frais râpé
2 c. à s. d'**huile végétale**

300 g de **poisson blanc**
en filets
16 **crevettes** crues
12 noix de **Saint-Jacques**
600 g de chair de **potiron**
400 ml de **crème de coco**
125 ml de **bouillon** de volaille
3 cm de **galanga**
en tranches fines (p. 156)
2 c. à s. de **nuoc-mâm**
1 petite poignée de **menthe**
**vietnamienne** (p. 78)

**Pour la pâte de curry**, commencez par faire revenir
à sec la coriandre, le cumin et le piment dans un wok.
Mettez-les ensuite dans un mortier et pilez-les en une
poudre fine. Faites chauffer à sec la pâte de crevettes
1 minute dans le wok puis mettez-la dans le mortier
avec le reste des ingrédients. Pilez le tout en ajoutant
au besoin 1 cuillerée à soupe d'eau pour que la pâte
ne soit pas trop sèche.

**Coupez** les filets de poisson en petits cubes.
Décortiquez les crevettes en gardant les queues.
Retirez le corail des noix de Saint-Jacques.
Coupez le potiron en cubes de 2 cm.

**Faites chauffer** le wok à feu vif, faites-y chauffer
la pâte de curry 1 minute puis ajoutez la crème de coco,
le bouillon, le galanga et le potiron. Laissez cuire
5 minutes à feu vif pour que le potiron soit bien tendre.
Ajoutez alors le poisson, les crevettes et les noix
de Saint-Jacques. Poursuivez la cuisson pendant
2 minutes environ avant d'ajouter le nuoc-mâm
et la menthe. Remuez et servez.

**Le curcuma** est un rhizome de la famille du gingembre.
D'une belle couleur rouge, il donne une teinte chaude
aux currys et aux soupes. En vente dans les magasins
asiatiques.

# curry de légumes thaï

Pour **4 personnes**

1 c. à s. d'**huile végétale**
2 **oignons bruns** émincés
2 c. à s. de **pâte de curry
verte** thaïe
375 ml de **lait de coco**
2 feuilles de **kaffir** (p. 52)
4 **aubergines thaïes** (p. 164)
coupées en quatre
8 **mini-épis de maïs**
coupés en deux
100 g de petits bouquets
de **brocoli**
3 petites **courgettes**
en tranches
1 **poivron rouge** coupé
en fines bandes
2 c. à s. de **nuoc-mâm**
2 c. à s. de **jus de citron vert**
2 c. à c. de **sucre roux**
1 poignée de **coriandre**
2 petits **piments verts**
émincés

**Faites chauffer** l'huile dans un wok pour y faire revenir à feu vif les oignons pendant 4 minutes environ. Ajoutez la pâte de curry en remuant 2 minutes puis versez le lait de coco et 125 ml d'eau. Portez à ébullition.

**Mettez** dans le wok les feuilles de kaffir, les aubergines et les épis de maïs. Laissez frémir 4 minutes en remuant au moins deux fois.

**Incorporez** les bouquets de brocoli, les courgettes, le poivron, le nuoc-mâm, le jus de citron, le sucre et la moitié de la coriandre. Laissez frémir encore 3 minutes pour que les légumes soient juste tendres. Ajoutez le reste de la coriandre et les piments émincés hors du feu, juste avant de servir.

# porc braisé au tofu

**Pour 4 personnes**

500 g de **filet de porc**
300 g de **tofu** ferme
½ c. à c. de **poivre du Sichuan**
1 c. à s. d'**huile**
4 **oignons verts** émincés
3 cm de **gingembre** frais en fine julienne
2 gousses d'**ail** pilées
3 c. à s. de **sauce de soja** mélangée avec
   1 c. à s. de **miel liquide**
4 c. à s. de **vinaigre de riz**
2 c. à s. de **sucre roux**
3 **étoiles d'anis**
1 poignée de **coriandre**

**Coupez** le filet de porc en petits cubes après en avoir ôté le plus de gras possible. Détaillez également le tofu en petits cubes.

**Faites chauffer** un wok à feu vif pour y faire revenir à sec le poivre pendant 1 minute avant de le piler dans un mortier. Versez l'huile dans le wok et faites-y sauter les oignons verts, le gingembre, l'ail et le poivre pilé pendant 1 minute. Ajoutez alors les morceaux de porc pour les faire dorer 2 minutes sur toutes les faces.

**Mélangez** la sauce de soja au miel, le vinaigre de riz, le sucre et 125 ml d'eau dans un bol. Versez le tout dans le wok, ajoutez l'anis étoilé et le tofu puis baissez le feu et laissez frémir 10 minutes à couvert. Quand la viande est cuite, retirez le wok du feu pour ajouter la coriandre ciselée. Servez sans attendre.

# poulet caramélisé au miso rouge

Pour **4 personnes**

750 g de **blanc de poulet**
2 c. à s. d'**huile végétale**
2 c. à s. de **gingembre**
frais en julienne
4 **étoiles d'anis**
1 bâton de **cannelle**
1 c. à s. de **saké**
(alcool de riz japonais)
2 c. à s. de **mirin**
(vin de riz doux)
2 c. à c. de **vinaigre**
**de riz japonais**
125 ml de **bouillon** de volaille
2 c. à s. de **sauce de soja**
**japonaise** (p. 26)
1 c. à s. de **pâte de miso**
**rouge** (p. 92)
3 tiges d'**oignon vert**
coupées en morceaux
de 3 cm de long

**Retirez** tout le gras possible sur les blancs de poulet puis coupez-les en deux. Faites-les revenir à feu vif dans un wok où vous aurez fait chauffer l'huile au préalable. Laissez-les cuire 2 minutes de chaque côté puis sortez-les du wok.

**Baissez le feu** et faites revenir dans le même wok le gingembre, l'anis étoilé et le bâton de cannelle. Ils doivent chauffer 30 secondes pour libérer leurs parfums. Versez alors le saké, le vinaigre et le mirin en les faisant chauffer vivement jusqu'à évaporation. Mouillez avec le bouillon, la sauce de soja et 125 ml d'eau, portez à ébullition puis laissez frémir 2 minutes.

**Remettez** les blancs de poulet avec le miso, remuez et laissez frémir de nouveau entre 15 et 20 minutes. La sauce doit être épaisse et la viande bien cuite. Décorez de tiges d'oignon vert juste avant de servir.

186

# agneau à la sauce satay

Pour **4 personnes**

750 g d'**épaule d'agneau**
  désossée
3 c. à s. d'**huile d'arachide**
2 c. à c. de **cumin** moulu
1 c. à c. de **curcuma** moulu
1 **poivron rouge** émincé
3 c. à s. de **sauce**
  **au piment douce**
3 c. à s. de **beurre**
  **de cacahuètes** (si possible
  avec des morceaux
  de cacahuètes)
250 ml de **lait de coco**
2 c. à c. de **sucre roux**
2 c. à s. de **jus de citron**
quelques feuilles
  de **coriandre**
40 g de **cacahuètes**
  grossièrement pilées

**Dégraissez** l'épaule d'agneau et coupez-la en cubes. Faites chauffer 1 cuillerée à soupe d'huile dans un wok pour y faire dorer la viande de toutes parts pendant 3 minutes. Sortez-la ensuite du wok pour y faire cuire à la place, dans le reste d'huile, les épices moulues et le poivron pendant 2 minutes.

**Quand le poivron est tendre**, remettez l'agneau dans le wok avant d'y ajouter la sauce au piment, le beurre de cacahuètes, le lait de coco et le sucre. Portez à ébullition puis baissez le feu et laissez frémir 5 minutes ; la viande doit être tendre et la sauce aura légèrement épaissi. Retirez du feu pour incorporer le jus de citron. Décorez de coriandre ciselée et de cacahuètes pilées.

# laksa de légumes

**Pour 4 personnes**

250 g de **vermicelles de riz** séchés
1 c. à s. d'**huile végétale**
3 c. à s. de **pâte laksa** (pâte épicée d'origine indienne)
750 ml de **lait de coco**
750 ml de **bouillon** de volaille
90 g de **mini-épis de maïs** coupés en deux
1 poignée de **haricots verts** coupés en deux
¼ de **chou chinois** émincé
250 g de **tofu frit** coupé en dés
150 g de **germes de soja**
1 **mini-concombre** épépiné et coupé en julienne
3 c. à s. de **menthe** ciselée
1 petit **piment rouge** émincé

**Faites tremper** les vermicelles dans de l'eau bouillante pour qu'ils s'assouplissent. Pendant ce temps, faites chauffer l'huile à feu moyen dans un wok pour y faire chauffer la pâte laksa pendant 2 minutes environ. Quand elle embaume, versez le lait de coco et le bouillon de volaille ; portez à ébullition. Ajoutez alors les épis de maïs et les haricots. Laissez frémir 3 minutes : ils doivent être juste cuits. Incorporez enfin le chou émincé.

**Égouttez les vermicelles**, rincez-les à l'eau chaude puis égouttez-les de nouveau. Répartissez-les dans quatre grands bols. Garnissez de tofu frit, de germes de soja et de concombre en julienne avant d'ajouter les légumes chauds. Décorez de menthe ciselée et de fines tranches de piment. Servez aussitôt.

# bœuf braisé épinards sésame

Pour **4 personnes**

500 g de **filet de bœuf**
ou de rumsteck
2 c. à s. de **nuoc-mâm**
2 c. à s. de **kecap manis**
(p. 74)
1 blanc de **citronnelle**
émincé très finement
4 **racines de coriandre**
fraîches
2 gousses d'**ail** hachées
finement
4 c. à s. d'**huile végétale**
3 c. à s. de **graines
de sésame**
250 g d'**épinards**
1 c. à c. d'**huile de sésame**
1 poignée de **coriandre**

**Sortez la viande** du réfrigérateur. Mélangez dans un plat le nuoc-mâm, le kecap manis, la citronnelle, les racines de coriandre, l'ail et la moitié de l'huile végétale. Ajoutez le morceau de bœuf, retournez-le plusieurs fois dans cette marinade, couvrez et laissez une nuit entière au frais.

**Le lendemain**, égouttez la viande et réservez la marinade. Tamponnez la viande avec du papier absorbant pour éliminer toute trace d'humidité et coupez-la dans la largeur en tranches de 1 cm d'épaisseur. Faites chauffer un wok et faites-y dorer à sec les graines de sésame. Retirez-les ensuite du wok et réservez-les.

**Faites chauffer** la moitié de l'huile restante pour y faire cuire les épinards 2 minutes à feu vif, en couvrant. Quand ils sont tendres, versez l'huile de sésame et saupoudrez de graines de sésame. Remuez et réservez au chaud entre deux assiettes.

**Faites chauffer** le reste d'huile à feu vif dans le wok pour y faire dorer la viande en plusieurs tournées. Versez ensuite la marinade réservée et 125 ml d'eau, baissez le feu et laissez mijoter 6 minutes environ, en remuant souvent pour que la sauce n'attache pas. Répartissez les épinards sur les assiettes de service et disposez les tranches de bœuf dessus. Garnissez de coriandre ciselée et servez avec du riz vapeur.

# palourdes aux vermicelles de riz

Pour **4 personnes**

1 kg de **palourdes**
100 g de **vermicelles de riz**
   séchés
3 c. à s. d'**huile végétale**
3 gousses d'**ail** pilées
3 c. à s. de **sauce de soja**
   **épicée** (épiceries asiatiques)
3 c. à s. de **vin de riz chinois**
3 c. à s. de **bouillon**
   **de volaille**
   2 c. à c. de **sauce de soja**
   **claire**
quelques feuilles
   de **coriandre**

**Faites tremper** les palourdes 1 heure environ dans
de l'eau froide pour les faire dégorger (éviter de
les remuer, sinon le sable remonterait à la surface).
Rincez-les ensuite à grande eau en les remuant bien.

**Faites gonfler** les vermicelles 5 minutes dans de l'eau
bouillante. Égouttez-les bien.

**Faites chauffer** l'huile à feu moyen dans un grand
wok pour y faire cuire l'ail 30 secondes avec la sauce
de soja épicée. Ajoutez les palourdes, le vin de riz,
le bouillon et la sauce de soja claire. Augmentez le feu,
couvrez et faites ouvrir les palourdes pendant 3 minutes
environ, en agitant régulièrement le wok sur le feu
(ce sera plus facile si vous disposez d'un wok muni
de deux poignées).

**Retirez** le wok du feu et éliminez les palourdes qui sont
restées fermées. Ajoutez les vermicelles et remuez
délicatement. Garnissez de coriandre ciselée et
servez sans attendre.

# nouilles chiang mai

**Pour 4 à 6 personnes**

200 g de **nouilles sèches**
aux œufs
1 c. à s. d'**huile végétale**
1 **oignon rouge** haché
2 gousses d'**ail** finement
hachées
3 c. à s. de **pâte de curry
rouge**
1 c. à c. de **curcuma** moulu
400 ml de **lait de coco**
450 g de **blanc de poulet**
émincé
2 c. à s. de **nuoc-mâm**
1 c. à s. de **sucre roux**
le jus de 1 **citron vert**
50 g de **nouilles**
croustillantes aux œufs
coupées grossièrement
2 **oignons verts** émincés
1 poignée de **coriandre**
des **échalotes frites** (p. 52)

**Faites cuire** les nouilles 4 minutes dans un grand
volume d'eau bouillante salée puis égouttez-les.
Rincez-les à l'eau froide et égouttez-les de nouveau.

**Faites chauffer** l'huile dans un grand wok pour y faire
revenir 2 minutes l'ail et l'oignon. Quand ils sont dorés,
ajoutez la pâte de curry en remuant vivement (mettez
en moins que la quantité indiquée si vous la trouvez trop
relevée) et le curcuma, puis laissez chauffer 1 minute.
Versez ensuite le lait de coco et 500 ml d'eau
(sans cesser de remuer pour délayer la pâte de curry),
portez à ébullition puis laissez frémir 6 minutes.

**Mettez** le poulet dans le wok et laissez-le cuire 5 minutes.
Ajoutez pour finir le nuoc-mâm, le sucre et le jus
de citron. Laissez encore 2 minutes sur le feu,
à petit frémissement.

**Répartissez** les nouilles aux œufs entre six grands
bols de service et couvrez-les de poulet au lait de coco.
Garnissez le dessus de nouilles frites, d'oignons verts,
de feuilles de coriandre et d'échalotes frites. Servez.

# porc braisé au lait de coco

Pour **4 personnes**

500 g de **filet de porc**
560 ml de **crème de coco**
125 ml de **sauce de soja claire**
2 c. à s. de **sucre de palme** râpé (p. 16) ou de sucre roux
1 c. à s. d'**eau de tamarin** (p. 40)
1 c. à c. de **nuoc-mâm**
3 **échalotes** émincées
1 petit **piment rouge**
1 poignée de **coriandre**

**Dégraissez** le filet de porc puis coupez-le en cubes de 3 cm de côté.

**Faites chauffer** dans un wok 400 ml de crème de coco pour la « séparer » : une couche d'huile se formera en surface tandis qu'un résidu laiteux plus solide nappera le fond du wok. Incorporez alors la sauce de soja, le sucre, le tamarin, le nuoc-mâm et le reste de crème. Portez à ébullition puis laissez frémir à feu moyen 2 minutes environ avant d'ajouter le porc.

**Laissez cuire** encore 10 minutes sans couvrir jusqu'à ce que la viande soit moelleuse. Ajoutez les échalotes et le piment. Gardez à feu moyen encore 5 minutes puis retirez le wok du feu pour ajouter la coriandre ciselée. Servez avec du riz vapeur.

# poulet braisé aux légumes

Pour **4 personnes**

3 **pilons de poulet**
3 **hauts de cuisse de poulet**
2 c. à s. d'**huile végétale**
8 blancs de **poireaux** coupés
   en tronçons de 1 cm
6 **échalotes** coupées
en quatre
100 g de **champignons
   shiitake** émincés
le jus de 1 **mandarine**
   ou 4 c. à s. de **jus
   d'orange** frais
2 c. à s. de **sauce de soja**
2 c. à s. de **vin blanc sec**
2 c. à s. de **sucre roux**
2 c. à s. de **poivre vert**
1 c. à c. d'**huile de sésame**
2 **mini-bok choy** coupés
   en quatre

**Coupez** les morceaux de poulet en trois ou en quatre (vous pouvez demander à votre volailler de le faire si vous ne disposez pas de fendoir à viande). Faites chauffer l'huile à feu vif dans un grand wok pour y faire dorer la viande de toutes parts pendant 2 minutes puis sortez-la du wok.

**Faites revenir** à la place les blancs de poireaux et les échalotes, en remuant sans cesse (baissez le feu pour qu'ils ne brûlent pas trop vite). Ajoutez ensuite les champignons puis, 1 minute plus tard, le jus de mandarine, la sauce de soja, le vin, le sucre, le poivre vert et 125 ml d'eau.

**Remettez** la viande dans le wok, baissez le feu, couvrez et laissez frémir 20 minutes. Quand le poulet est cuit, ajoutez l'huile de sésame et le bok choy, poursuivez la cuisson 1 minute et retirez du feu. Servez avec du riz vapeur.

# cuisson
# vapeur

## une cuisson saine et simple

La cuisine vapeur est simple à mettre en œuvre et elle présente en outre l'intérêt d'être saine et légère : peu d'huile dans les recettes, une cuisson courte qui préserve tous les nutriments, une saveur délicate… La cuisson vapeur peut également permettre de terminer la préparation d'un plat frit ou sauté pour lui donner plus de moelleux. Dans la cuisine d'Asie, on fera cuire des aliments en papillote dans des feuilles de bananier, de pandanus, de lotus, de bambou et autres, qui leur donneront un parfum délicieux, touche finale d'un mélange aromatique souvent très délicat. Il y a deux méthodes pour la cuisson vapeur. La première consiste à utiliser un panier en bambou (ou en métal) au-dessus d'un récipient d'eau

frémissante ; la seconde à mettre un peu d'eau au fond du wok avant d'y ajouter les aliments puis à laisser cuire quelques minutes à couvert jusqu'à évaporation.

## pourquoi utilisez un wok ?

L'intérêt du wok réside dans sa forme évasée qui offre à l'eau une plus large surface pour produire de la vapeur et assez d'espace pour que cette vapeur puisse circuler. Prenez soin que le wok soit stable sur le feu pour éviter de le renverser et de provoquer ainsi de graves brûlures. Utilisez de préférence un ustensile avec deux petites poignées latérales. Si votre wok est muni d'un long manche, dirigez celui-ci vers l'intérieur de votre cuisinière et tenez les enfants à distance.

## comment se servir d'un panier en bambou ?

On en trouve de différentes tailles. Pour un wok de 30 à 35 cm de diamètre (en haut), choisissez un panier de 25 à 32 cm. Achetez au moins deux paniers de la même taille pour faire cuire une plus grande quantité de nourriture.
Avant d'utiliser un panier en bambou pour la première fois, laissez-le tremper 15 minutes dans l'eau chaude.
Pour empêcher que la nourriture ne passe à travers les trous du panier, couvrez le fond d'une feuille de papier sulfurisé ou de salade verte. Ce qui permettra aussi d'empêcher que les aliments ne

prennent le goût du bambou. Huilez également le fond pour que les aliments n'attachent pas.

Quand vous avez disposé les aliments dans le panier préparé, mettez le couvercle en place et posez le panier dans le wok, au-dessus d'un peu d'eau frémissante, sans que la base du panier n'entre en contact avec l'eau (d'où la nécessité de choisir un panier dont la base est plus large que celle du wok). Si vous utilisez deux paniers superposés, changez-les plusieurs fois de place pendant la cuisson (le panier du bas en haut et inversement) pour que les aliments soient cuits uniformément.

Rincez à l'eau claire les paniers après emploi en les frottant sous l'eau tiède mais sans utiliser de détergent. Lavez très soigneusement les paniers si vous y avez fait cuire du poisson ou tout autre aliment dont l'odeur est persistante. Faites-les bien sécher avant de les ranger pour éviter qu'ils ne moisissent.

## les bases de la cuisson vapeur

Versez de l'eau bouillante dans un wok jusqu'au tiers de sa hauteur ou versez de l'eau froide et portez-la à ébullition puis baissez le feu. Attention, pendant toute la durée de la cuisson, l'eau ne doit plus bouillir pour que les aliments ne cuisent pas trop vite. C'est pourquoi il est préférable de ne pas mettre moins d'eau que la quantité indiquée.

La base du panier ou du récipient ne doit jamais toucher l'eau sous peine d'une cuisson trop vive qui ferait durcir les aliments. La cuisson vapeur est lente et douce pour laisser aux arômes le temps de se développer. Soyez prudent en retirant le couvercle pour éviter que la vapeur ne vous monte au visage, pouvant occasionner des brûlures très graves. Protégez également vos mains pour ôter le panier vapeur du wok.

Même quand le panier vapeur a été sorti du wok, la nourriture va continuer à cuire à couvert. Retirez le couvercle et servez sans attendre. Soyez encore plus vigilant avec les bouchées vapeur car la pâte qui les entoure devient collante quand elle est trop cuite.

# crevettes vapeur coriandre mangue

Pour **4 personnes**

**Assaisonnement**
2 c. à c. de **jus de citron vert**
1 c. à c. de **nuoc-mâm**
1 gousse d'**ail** pilée
½ c. à c. de **vinaigre de riz**
½ c. à c. de **sucre roux**
2 c. à c. de **lait de coco**
délayé dans 2 c. à c. d'eau

12 **crevettes roses**
décortiquées, avec la queue
1 **piment rouge** épépiné
et émincé
3 **échalotes** finement
hachées
1 grosse **mangue verte**
pelée et râpée
(épiceries asiatiques)
1 poignée de **coriandre**
ciselée
2 feuilles de **kaffir** (p. 52)

**Pour préparer la sauce**, mélangez tous les ingrédients dans un bol. Remuez bien pour faire dissoudre le sucre et réservez au frais.

**Tapissez** de papier sulfurisé le fond d'un grand panier vapeur. Disposez dessus en une seule couche les crevettes décortiquées. Couvrez et faites-les cuire 3 minutes à la vapeur dans un wok, au-dessus d'une eau frémissante.

**Mélangez** dans un saladier le piment, les échalotes, la mangue verte, la coriandre et les feuilles de kaffir. Versez la sauce et remuez. Répartissez cette salade sur les assiettes de service et ajoutez les crevettes. Servez.

# blancs de poulet aux brocolis chinois

Pour **4 personnes**

**Sauce au gingembre**
2 cm de **gingembre** frais
   en julienne
125 ml de **sauce de soja**
2 c. à s. de **vin de riz
   chinois**
1 gousse d'**ail** pilée
½ c. à c. d'**huile de sésame**
quelques feuilles
   de **coriandre** ciselées
4 **oignons verts** ciselés

6 feuilles de **kaffir** ciselées
   (p. 52)
1 blanc de **citronnelle**
   coupé en trois et écrasé
4 cm de **gingembre** frais
   en tranches fines
700 g de **brocolis chinois**
4 **blancs de poulet**
   coupés en trois
10 g de **champignons
   shiitake** séchés
quelques feuilles
   de **coriandre**

**Préparez la sauce** en mélangeant tous les ingrédients dans un petit bol.

**Versez** de l'eau dans un wok jusqu'à mi-hauteur, ajoutez les feuilles de kaffir, la citronnelle et le gingembre. Portez à ébullition puis réduisez le feu pour que le liquide reste juste frémissant. Tapissez de papier sulfurisé un panier en bambou et disposez dessus les blancs de poulet. Couvrez et faites-les cuire 10 minutes à la vapeur dans le wok. Retirez-les du panier et gardez-les au chaud. Mettez à la place les brocolis et faites-les cuire 3 minutes. Retirez-les ensuite du panier pour les garder au chaud.

**Passez** le liquide du wok dans un tamis fin puis faites-y gonfler les champignons quelques minutes. Retirez les pieds et jetez-les. Émincez-les et incorporez-les à la sauce avec 125 ml de leur eau de trempage. Disposez les blancs de poulet coupés en trois sur un lit de brocolis et nappez-les de sauce. Décorez de feuilles de coriandre et servez sans attendre.

# travers de porc haricots noirs

Pour **4 personnes**

400 g de **travers de porc**
2 c. à s. de **haricots noirs**
(p. 28) rincés et écrasés
à la fourchette
2 gousses d'**ail** finement
hachées
1 c. à s. de **gingembre**
frais râpé
1 c. à c. de **sauce d'huîtres**
2 c. à c. de **sauce de soja**
2 c. à c. de **sucre en poudre**
1 c. à s. de **Maïzena**
1 **oignon vert** émincé

**Découpez** les travers de porc en morceaux de 8 cm de long. Mettez-les dans un récipient résistant à la chaleur que vous disposerez dans un panier en bambou (il doit donc être plus petit).

**Mélangez** la purée de haricots noirs, l'ail, le gingembre, la sauce d'huîtres, la sauce de soja, la Maïzena et le sucre dans un bol. Versez ce mélange sur les travers de porc, remuez bien et garnissez d'oignon vert.

**Mettez** le panier en bambou couvert dans un wok, au-dessus d'une eau frémissante, et faites cuire les travers à la vapeur pendant 20 minutes (rajoutez au besoin un peu d'eau dans le wok si elle s'évapore trop vite). Servez très chaud avec du riz gluant.

# saumon cuit à la vapeur

Pour **4 personnes**

1 petit blanc de **citronnelle**
5 cm de **gingembre** frais
  râpé
2 c. à s. de **sauce
  au piment douce**
1 petit **piment rouge**
  épépiné et haché finement
1 c. à s. de **nuoc-mâm**
2 c. à s. de **jus de citron vert**
1 c. à s. d'**huile végétale**
quelques feuilles
  de **coriandre** ciselées
4 pavés de **saumon**
  sans la peau
2 **oignons verts** émincés

**Émincez** très finement la citronnelle puis mettez-la dans un plat avec le gingembre, la sauce au piment, le piment haché, le nuoc-mâm, le jus de citron vert, l'huile et la moitié de la coriandre. Ajoutez les pavés de saumon, mélangez bien et laissez mariner 1 heure au frais.

**Tapissez** de papier sulfurisé un panier en bambou, disposez dedans les pavés de saumon, couvrez et faites-les cuire à la vapeur 12 minutes environ dans un wok, au-dessus d'une eau frémissante.

**Mélangez** le reste de la coriandre et l'oignon vert. Garnissez-en le poisson au moment de servir.

# filets de poisson aux amandes

Pour **4 personnes**

16 **amandes** sans la coque
2 c. à s. de **gingembre** frais
2 à 3 **piments oiseaux**
(p. 130) épépinés
5 **échalotes**
2 gousses d'**ail**
1 **tomate** olivette hachée
2 c. à c. de **nuoc-mâm**
2 c. à c. de **sucre roux**
2 **oignons verts** émincés
4 pavés de **poisson blanc**
(cabillaud, perche, vivaneau)
1 **feuille de bananier**
assouplie dans l'eau
chaude ou du papier
sulfurisé légèrement huilé
pour les papillotes
des quartiers de **citron vert**

**Faites dorer** les amandes 5 minutes environ dans un wok puis laissez-les refroidir. Mettez-les ensuite dans le bol du robot avec le gingembre, les piments, les échalotes, l'ail et la tomate. Mixez grossièrement pour obtenir une pâte épaisse puis incorporez le nuoc-mâm, le sucre et la moitié des oignons.

**Couvrez** les filets de poisson de cette pâte. Coupez la feuille de bananier en quatre et enveloppez individuellement les filets de poisson dedans (ou enveloppez-les dans quatre feuilles papier sulfurisé).

**Mettez** les papillotes dans un panier en bambou, couvrez et faites-les cuire 8 minutes à la vapeur dans un wok, au-dessus d'une eau frémissante. Ouvrez les feuilles de bananier (vous pouvez laisser les filets de poisson dedans pour servir) et décorez le dessus des oignons verts restants. Servez sans attendre avec des quartiers de citron et du riz vapeur.

# dorades vapeur au gingembre

Pour **4 personnes**

2 petites **dorades**
6 **oignons verts** émincés
2 c. à c. de **sel**
2 c. à c. d'**huile de sésame**
3 c. à s. de **sauce de soja
claire**
3 c. à s. de **gingembre**
en julienne
60 g de **champignons
shiitake** émincés
2 c. à s. d'**huile d'arachide**
2 c. à c. de **vin de riz
chinois**
quelques feuilles
de **coriandre**

**Videz les poissons** et écaillez-les. Rincez-les bien
et essuyez-les. Réservez la moitié des oignons verts.
Répartissez le reste sur deux grandes feuilles de papier
sulfurisé légèrement huilées, mettez dessus les dorades
et relevez les bords des feuilles. Mélangez dans
un récipient le sel, l'huile de sésame et 2 cuillerées
à soupe de sauce de soja. Étalez cette sauce sur
les dorades. Répartissez le gingembre et les champignons
sur les poissons. Disposez les dorades sur leur feuille
de papier dans un panier en bambou, sans fermer
les papillotes.

**Couvrez** le panier en bambou et faites cuire les poissons
30 minutes à la vapeur dans un wok, au-dessus
d'une eau frémissante. Présentez les poissons
sur un grand plat (sans retirer la feuille de papier).

**Faites chauffer** à feu vif l'huile d'arachide dans
une petite casserole : elle doit être presque fumante.
Répartissez sur les poissons le vin de riz, le reste
de sauce de soja et le reste d'oignon vert puis versez
délicatement l'huile brûlante. Servez aussitôt,
décoré de feuilles de coriandre.

# saumon pois gourmands asperges

Pour **4 personnes**

**Beurre à l'orange**
1 **orange**
80 g de **beurre** ramolli
1 c. à s. de **cerfeuil** ciselé

250 g de **pois gourmands**
250 g d'**asperges vertes**
  coupées en deux
4 pavés de **saumon**

**Grattez** 2 cuillerées à café de zeste d'orange et récupérez 2 cuillerées à soupe de jus frais dans une moitié d'orange. Mélangez-les avec le beurre en fouettant, incorporez le cerfeuil et continuez de fouetter pour obtenir un mélange homogène.

**Coupez** l'autre moitié d'orange en tranches fines puis recoupez en deux chaque tranche. Tapissez de papier sulfurisé un panier en bambou, disposez dessus les pois gourmands et les asperges puis les morceaux d'orange. Ajoutez les pavés de saumon. Couvrez et faites cuire le poisson et les légumes 10 minutes à la vapeur dans un wok, au-dessus d'une eau frémissante.

**Pour servir**, répartissez les légumes et le poisson sur les assiettes de service et décorez chaque morceau de poisson d'une noix de beurre à l'orange. Servez sans attendre.

**Si ce n'est pas la saison des asperges,** remplacez-les par des petites courgettes coupées en quatre dans la longueur ou par des bouquets de brocolis.

# blancs de poulet à la salsa verde

Pour **4 personnes**

1 gros bulbe de **fenouil**
½ **citron** coupé
  en très fines tranches
4 blancs de **poulet**

**Salsa verde**
3 c. à s. de **persil** plat ciselé
3 c. à s. de **câpres** rincées
  et égouttées
1 gousse d'**ail** pilée
3 c. à s. d'**huile d'olive**
2 c. à c. de **zeste de citron**
  râpé
2 c. à s. de **jus de citron**

**Tapissez** un panier en bambou de papier sulfurisé. Couvrez le fond de fines lanières de fenouil et de tranches de citron. Couvrez avec les blancs de poulet, fermez et faites cuire le tout à la vapeur 15 minutes dans un wok, au-dessus d'une eau frémissante.

**Mélangez** dans un bol tous les ingrédients de la salsa verde. Quand le poulet est cuit, présentez chaque blanc en tranche épaisse sur un lit de fenouil et nappez-le de salsa verde. Servez sans attendre.

# huîtres chaudes gingembre piment

Pour **24 pièces**

24 **huîtres** creuses
du **gros sel** pour faire
  tenir les huîtres
3 **oignons verts** en lanières
  de 5 cm de long
1 **piment rouge** long
  en fines lanières
2 c. à s. de **gingembre**
  frais râpé
1 c. à s. de **sauce de soja
  claire**
quelques feuilles
  de **coriandre** ciselées
1 c. à s. d'**huile de sésame**

**Ouvrez les huîtres**, décollez-les de leur coquille, videz l'eau et jetez la coquille supérieure. Versez de l'eau dans un wok jusqu'à mi-hauteur et portez à ébullition. Disposez une assiette creuse dans le panier vapeur et remplissez-la de gros sel.

**Disposez** les huîtres en une seule couche sur le gros sel. Garnissez-les d'oignon vert, de piment et de gingembre puis versez un peu de sauce de soja. Couvrez le panier et faites cuire les huîtres 2 minutes à la vapeur au-dessus de l'eau frémissante.

**Retirez** le panier du wok, ôtez le couvercle et sortez l'assiette du panier. Décorez chaque huître d'un peu de coriandre ciselée. Faites chauffer l'huile de sésame avant de la verser sur les huîtres chaudes. Servez sans attendre.

**Vous devrez procéder** en deux tournées au moins pour faire cuire les huîtres. Commencer par les ouvrir toutes, garnissez-les puis gardez-en une partie au frais. Quand vos convives ont fini de déguster la première série d'huîtres, mettez la seconde à cuire sur une autre assiette de gros sel.

# bouchées aux légumes

Pour **15 pièces**

8 **champignons shiitake**
3 gousses d'**ail**
5 **oignons verts**
60 g de feuilles d'**épinards**
60 g de **châtaignes d'eau**
2 tiges de **coriandre**
　avec les racines
2 c. à c. de **gingembre**
　frais râpé
40 g de **cacahuètes** grillées
2 c. à c. de **vin de riz chinois**
2 c. à s. de **kecap manis**
　(p. 74)
1 c. à c. d'**huile de sésame**
15 disques de **pâte**
　à raviolis chinois
4 c. à s. de **sauce**
　**aux prunes**

**Hachez** finement les champignons, l'ail, les oignons verts, les feuilles d'épinards, les châtaignes d'eau et la coriandre. Mélangez-les dans un saladier avec le gingembre râpé, les cacahuètes pilées grossièrement, le vin de riz, le kecap manis et l'huile de sésame.

**Disposez** 1 cuillerée à soupe de ce mélange au centre de chaque disque de pâte et relevez les bords en les plissant légèrement pour former des bouchées ouvertes.

**Tapissez** de papier sulfurisé le fond d'un grand panier vapeur. Disposez dessus en une seule couche les bouchées de légumes. Couvrez et faites-les cuire 5 minutes à la vapeur dans un wok, au-dessus d'une eau frémissante. Servez avec la sauce aux prunes.

**La sauce aux prunes** est faite avec des prunes, du piment, des épices et du sucre. Elle est épaisse et sucrée. Achetez-la dans les épiceries asiatiques.

# soufflés au crabe

Pour **4 personnes**

350 g de **chair de crabe**
  en conserve ou fraîche
300 g de **filet**
  **de poisson blanc**
140 ml de **lait de coco**
1 blanc de **citronnelle**
  finement haché
2 **oignons verts** finement
  hachés
1 c. à s. de **nuoc-mâm**
1 c. à c. de **jus de citron vert**
1 c. à c. de **sucre de palme**
  râpé ou de sucre roux
2 **œufs**, jaunes
  et blancs séparés
quelques feuilles
  de **coriandre** ciselées
4 feuilles de **kaffir** (p. 52)

**Égouttez** le crabe (si vous avez acheté du crabe en boîte) et émiettez-le grossièrement. Enlevez les arêtes du filet de poisson et coupez-le grossièrement avant de le mixer avec le lait de coco, la citronnelle, les oignons verts, le nuoc-mâm, le jus de citron, le sucre et les jaunes d'œufs. Quand le mélange est homogène, ajoutez la chair de crabe et la coriandre.

**Battez** les blancs d'œufs en neige ferme avant de les incorporer à la préparation précédente. Répartissez l'ensemble entre quatre ramequins légèrement huilés. Décorez le dessus d'une feuille de kaffir.

**Disposez** les ramequins dans un panier en bambou et faites-les cuire 20 minutes à la vapeur dans un wok, au-dessus d'un peu d'eau frémissante. Servez rapidement. (Si vous préférez déguster cette mousse froide, sortez les ramequins du panier et faites-les refroidir à température ambiante.)

# crème renversée au lait de coco

Pour **4 personnes**

175 g de **sucre en poudre**
   pour le caramel + 55 g
   pour la crème
4 **œufs** légèrement battus
400 ml de **lait de coco**
30 g de **noix de coco**
   râpée légèrement grillée
quelques **fruits de saison**
   pour servir

**Mélangez** 175 g de sucre et 250 ml d'eau dans une casserole. Faites dissoudre le sucre à feu doux en remuant puis portez à ébullition et laissez cuire 10 minutes environ sans remuer pour que le caramel prenne une belle teinte dorée. Versez-le alors dans quatre ramequins en inclinant les ramequins en tous sens pour en tapisser le fond et les côtés.

**Mélangez** les œufs, le reste du sucre, le lait de coco et la noix de coco. Passez le mélange dans un tamis fin puis répartissez-le entre les ramequins. Couvrez-les d'une petite feuille d'aluminium.

**Mettez** les ramequins dans un panier en bambou, mettez le couvercle en place et faites cuire les crèmes 20 à 25 minutes à la vapeur dans un wok, au-dessus d'une eau frémissante.

**Sortez les ramequins** du panier vapeur, laissez-les tiédir puis mettez-les 2 heures au réfrigérateur. Au moment de servir, démoulez les crèmes sur des assiettes à dessert et décorez-les de fruits frais.

# flans vapeur à la malaisienne

Pour **4 personnes**

2 **œufs**
95 g de **sucre brun**
4 c. à s. de **lait condensé**
60 g de **beurre** fondu
90 g de **farine à levure**
   incorporée
½ c. à s. de **bicarbonate**
   **de soude**
du **sirop d'érable** pour servir
de la **crème fouettée**
   pour servir

**Graissez** quatre ramequins. Fouettez les œufs et le sucre pour obtenir un mélange clair et mousseux puis incorporez le lait condensé et le beurre fondu. Ajoutez enfin la farine et le bicarbonate de soude avant de répartir la crème dans les ramequins.

**Mettez** les ramequins dans un panier en bambou, couvrez et faites cuire les flans 20 à 25 minutes à la vapeur dans un wok, au-dessus d'une eau frémissante.

**Servez tiède**, nappé de sirop d'érable et garni de crème fraîche.

**Si vous avez préparé les flans à l'avance,**
réchauffez-les quelques minutes à la vapeur.

# puddings gingembre coco

Pour **6 personnes**

**Sirop au citron vert**
115 g de **sucre en poudre**
2 feuilles de **kaffir** (p. 52)
2 c. à s. de **jus de citron vert**

125 g de **beurre** ramolli
115 g de **sucre en poudre**
2 **œufs**
155 g de **farine à levure**
   incorporée
2 c. à c. de **gingembre**
   moulu
1 c. à s. de **gingembre**
   confit
125 ml de **lait de coco**
de la **crème fouettée**
   pour servir

**Commencez** par préparer le sirop. Mettez le sucre et 125 ml d'eau dans une casserole, laissez chauffer à feu doux pour faire dissoudre le sucre puis portez à ébullition. Ajoutez les feuilles de kaffir et laissez épaissir 5 minutes puis versez le jus de citron. Retirez la casserole du feu. Quand le sirop est froid, retirez les feuilles de kaffir.

**Graissez** légèrement 6 ramequins. Fouettez le beurre et le sucre pour obtenir un mélange clair et mousseux. Ajoutez les œufs un à un sans cesser de battre, puis la farine, le gingembre moulu, le gingembre confit coupé en très petits morceaux et le lait de coco ; vous devez fouetter constamment le mélange. Répartissez-le ensuite entre les ramequins puis faites cuire les puddings 15 minutes à la vapeur dans un panier en bambou, au-dessus d'un wok d'eau frémissante (l'eau ne doit pas toucher la base du panier). Sortez les ramequins du panier et laissez les puddings reposer 5 minutes avant de les démouler. Nappez-les de sirop au citron vert tiède et servez avec un peu de crème fouettée (facultatif).

# riz gluant à la mangue

Pour **4 personnes**

400 g de **riz gluant**
250 ml de **lait de coco**
60 g de **sucre roux**
4 feuilles de **kaffir** (p. 52)
1 blanc de **citronnelle**
   écrasé
2 **mangues**

**Rincez** abondamment le riz puis mettez-le dans un récipient, couvrez-le d'eau et laissez-le tremper toute une nuit. Le lendemain, égouttez-le bien.

**Tapissez** de papier sulfurisé le fond d'un panier en bambou en le laissant remonter sur les côtés puis étalez le riz dessus. Couvrez le panier, mettez-le dans un wok au-dessus d'une eau frémissante et faites cuire le riz à la vapeur entre 30 et 60 minutes selon la taille du panier.

**Pendant que le riz cuit**, faites chauffer dans une casserole le lait de coco, le sucre, les feuilles de kaffir et la citronnelle. Laissez épaissir 5 minutes.

**Mettez** le riz cuit dans un saladier et versez le lait de coco. Mélangez avec une fourchette pour aérer les grains de riz. Couvrez et laissez reposer 10 minutes avant de retirer la citronnelle et les feuilles de kaffir.

**Coupez les mangues** en deux de part et d'autre du noyau, entaillez la chair en petits carrés sans percer la peau puis courbez-les dans l'autre sens pour que la chair forme un arrondi bombé. Servez-les avec le riz gluant au lait de coco.

annexe

# table des recettes

## plats sautés

## recettes croustillantes

# recettes mijotées

# cuisson vapeur

# découvrez toute la collection

**APÉRO**
FINGER FOOD • TOASTS • DIPS
Plus de 100 recettes & variations
MARABOUT

RECETTES POUR
**BÉBÉ**
Plus de 100 recettes & variations
MARABOUT

**WOK**
THAÏ CHINOIS VIETNAMIEN INDIEN
Plus de 100 recettes & variations
MARABOUT

RECETTES
**FACILES**
Plus de 100 recettes & variations
MARABOUT

PETITS
**GÂTEAUX**
Plus de 100 recettes & variations
MARABOUT

PETITS PLATS
**ÉPICÉS**
Plus de 100 recettes & variations
MARABOUT

**PASTA**
FETTUCCINE • PENNE • TORTELLINI
MARABOUT

**POISSONS**
& CRUSTACÉS
Plus de 100 recettes & variations
MARABOUT

RECETTES
**VAPEUR**
Plus de 100 recettes & variations
MARABOUT

**MARABOUT**
CÔTÉ CUISINE